Anneke Huyser

EL LIBRO DE TRABAJO DE LOS MANDALAS

para el descubrimiento de uno mismo

EDICIONES OBELISCO

Si este libro le ha interesado y desea que le mantengamos informado de nuestras publicaciones, escríbanos indicándonos qué temas son de su interés (Astrología, Autoayuda, Ciencias Ocultas, Artes Marciales, Naturismo, Espiritualidad, Tradición...) y gustosamente le complaceremos.

Puede consultar nuestro catálogo en www.edicionesobelisco.com

Colección: Nueva Consciencia
EL LIBRO DE TRABAJO DE LOS MANDALAS
para el descubrimiento de uno mismo
Anneke Huyser

1.ª edición: abril de 2006

Título original:
Mandala. Workbook For Inner Self-Discovery

Traducción: *Verónica d'Ornellas*
Diseño cubierta: *Mònica Gil Rosón*
Maquetación: *Marta Rovira*

Edita: Ediciones Obelisco S.L.
Pere IV, 78 (Edif. Pedro IV) 3.ª planta 5.ª puerta
08005 Barcelona - España
Tel. 93 309 85 25 - Fax 93 309 85 23
E-mail: obelisco@edicionesobelisco.com

Depósito legal: B-13.878-2006
ISBN: 84-9777-277-6

Printed in Spain

Impreso en España en los talleres de Frape

Introducción

Me gustaría que en este libro realizásemos juntos un viaje de descubrimiento hacia el significado, el uso y las técnicas de la creación de mandalas. Los mandalas son unas imágenes geométricas circulares que aparecen en prácticamente todas las culturas del mundo.

Son cada vez más las personas fascinadas con el fenómeno universal, aunque único, de los mandalas, con sus variados y caleidoscópicos juegos de color, su contenido simbólico y su efecto transformador. Contemplar mandalas calma la vista y despierta sentimientos agradables; hacerlos uno mismo puede resultar, incluso, más satisfactorio. El impulso de crear formas circulares y mandalas es indicativo de la profunda necesidad humana de totalidad e ilustra la integración de los acontecimientos significativos y de los contenidos de la conciencia.

Hacer mandalas es un proceso reflexivo y creativo. En ocasiones resulta imposible diferenciar claramente un momento reflexivo de un estado de ánimo creativo. La reflexión abre pequeñas puertas que conducen a la fuente creativa, la cual, una vez abierta, empieza a fluir en capas de conciencia cada vez más amplias. Por este motivo, la creación, en el sentido de obtener algo nuevo que surge de la nada, cada vez te resultará más fácil. Reflexionar con regularidad sobre lo que estás haciendo también estimula las fuerzas creativas que hay en tu interior, haciendo que se dé la oportunidad de un intercambio infinitamente fructífero. La reflexión creativa se transforma en creación reflexiva, y si esto ocurre mientras haces un mandala, tu ser interior te transmitirá una información intuitiva y meditativa. Esta imagen funciona como un espejo y puede contener la historia de toda la vida humana, así como aspectos particulares de la personalidad que necesitan atención.

Hace más de quince años, durante un período muy turbulento en mi vida, empecé a bordar intuitivamente mi primer mandala. A través del Center of Self-Reflection, donde trabajaba en aquella época, conocí a personas que estaban haciendo lo mismo. Como realmente me encantaba coser, dibujar y pintar, esta actividad me atrajo muchísimo, pero yo no quería copiar estas expresiones creativas de un diseño, aunque había visto imágenes de mandalas tibetanos en libros y en los centros tibetanos a los que acudía con regularidad para recibir clases de meditación. Sin embargo, en ese momento me sentí cautivada por la idea de hacerlo yo misma. Me di cuenta de que el bordado tenía un efecto calmante sobre mí y que este primer mandala mostraba exactamente todos los cambios y acontecimientos que me habían ocurrido en los últimos años, incluyendo un divorcio, las mudanzas, un matrimonio, un nacimiento, una muerte y cambios de trabajo. Diez meses más tarde, el mandala estaba acabado y yo impaciente por empezar el segundo, después del cual vinieron enseguida muchos más. Puesto que el bordado es un proceso lento, empecé a experimentar dibujando y pintando mandalas. Esto, obviamente, era mucho más rápido. En un par de horas ya tenía algo sobre el papel. Regularmente, intercambiaba experiencias con otras personas y nos mostrábamos nuestros mandalas unas a otras. Mi interés por la historia, los antecedentes y el simbolismo de los mandalas fue creciendo, y comencé a leer libros sobre el tema.

En 1985, mi socio y yo iniciamos nuestro primer negocio, «Boekhandel De Wijze Kater» [La librería del gato sabio] en Utrecht, en Holanda, especializado en esoterismo y temas afines. En mi primer escaparate, coloqué el libro de mandalas de José y Miriam Argüelles en el centro de una pieza redonda de tela roja y a su alrededor agrupé varios libros con mandalas o círculos en sus portadas. En el salón de clase que había en la trastienda organizamos una serie de exposiciones de mandalas realizados por distintas personas. En aquella época, ya era evidente el gran interés que despertaba este tema, pues acudían visitantes de todas partes para ver las exposiciones, y solían pedir información.

Mientras tanto, yo continuaba haciendo mandalas. Cuando hube acabado una cantidad que, para mí, significó que ya había procesado las emociones «negativas», sentí la intensa necesidad de cambiar y de empezar a proyectar conscientemente mis sentimientos «positivos» en ellos. Puesto que en los primeros mandalas había utilizado muchos colores pastel, esta vez opté por colores brillantes y fuertes como el rojo, el amarillo, el azul, el verde y el violeta, para conseguir mayor contraste e intensidad. Mientras bordaba este mandala, experimenté un efecto secundario nuevo e inesperado. En mi cabeza «oía» frases acerca de hacer los mandalas uno mismo y sobre los sentimientos que podían surgir, y recibí algunos consejos prácticos, como si estuviese siendo instruida por una especie de maestro interior. Como mis pensamientos seguían jugueteando en mi mente, empecé a escribirlos. Cuando el mandala estuvo terminado y me proporcionó varias respuestas, empecé a ver con claridad que esta creación con la que me había puesto en contacto era mi fuente interior más profunda, a la que me atrevería a llamar mi Yo Superior. Esta fuente no sólo impulsó la creación de mandalas, ¡sino también la motivación para escribir este libro!

Además, mi Yo Superior propició que los mandalas que estaba dibujando y pintando en aquella época adquirieran más color y profundidad. En ocasiones, cuando me sentía relajada, muy lúcida, y estaba entre despierta y dormida, unos hermosos mandalas aparecían espontáneamente ante mis ojos. Sin embargo, mis intentos de reproducirlos sobre papel con tiza o lápiz acababan en decepción; los materiales eran demasiado lentos y torpes.

Este libro no sólo contiene mi propio conocimiento intuitivo; también he leído lo que otros autores han publicado sobre el tema. Sistemáticamente, empecé a estudiar la literatura existente sobre mandalas y diseños geométricos, y tropecé con una increíble cantidad de material de todos los rincones del mundo. En mi búsqueda, encontré abundante información proveniente de lugares inesperados. Además de buscar bajo el término «mandala», estudié los objetos circulares y los principios que a veces vienen en los libros sobre arte popular, chamanismo, técnicas de bordado, arqueología, simbolismo de los sueños o meditación. Aparte de un capítulo sobre la historia de los mandalas y su alcance cultural, este libro contiene una guía práctica para que puedas hacerlos tú mismo con ayuda de diversas técnicas creativas. También te muestra cómo el proceso de reflexión puede tener lugar durante la realización de un mandala y presenta una serie de métodos para mirar y analizar, aprendiendo a hacer asociaciones con uno mismo, con ayuda de la información sobre el simbolismo de los colores, las formas y los números.

Los mandalas se pueden hacer de muchas maneras, y con esto me refiero a empezar intuitivamente, desde el más absoluto vacío, con un único punto o cruz en el centro, y luego ver lo que sale de ahí. No obstante, existen libros para colorear con diseños de mandalas a los que sólo hay que añadir los colores que uno elija o que se recomiendan. Entremedio, hay todo un abanico de posibilidades. Como es evidente por el contenido de mi libro, yo prefiero hacer mandalas de una forma intuitiva, sin un plan preestablecido, partiendo desde el centro. Sin embargo, existen muchas vías de aproximación posibles y muchas maneras de hacer un mandala; ninguna es mejor ni peor que otra. Además, cualquier persona que esté haciendo un mandala tiene varias opciones para elegir.

He escrito este libro para las personas que sienten que hay unas fuerzas en su interior que desean tener la oportunidad de expresarse, con las que necesitan hacer algo. Está dirigido a quienes se están buscando a sí mismos y que pueden y se atreven a reconocer esto en sus propias creaciones. También está pensado para las personas que nunca antes habían trabajado con un lápiz, un pincel o una aguja de bordar, pero que ahora tienen la determinación de experimentar y han elegido el mandala como el marco para este proceso. Para las técnicas creativas que describo en este libro no es necesario haber recibido una formación o educación artística, pero si el lector la tiene, mi descripción de la forma de trabajo intuitiva puede ser una fuente de inspiración adicional.

Las personas que sienten la necesidad de hacer mandalas, ya sea en un contexto de grupo o individualmente, pueden intercambiar sus experiencias en talleres y clases. La Dutch Mandala Association publica una revista cuatrimestral, organiza exposiciones y difunde información. Tiene redes de contacto por toda Holanda, lo cual permite que se reúnan con regularidad quienes se dedican a hacer mandalas (información para contactar, p. 121).

Cada vez con más frecuencia, los maestros están haciendo que los niños dibujen mandalas en la escuela para entrar en armonía consigo mismos y con los demás. A menudo, los niños dibujan mandalas espontáneamente. Entre los primeros garabatos de los niños podemos descubrir muchos pequeños mandalas. En ocasiones será simplemente un círculo vacío, pero con frecuencia vemos también la división simétrica de éste. Mi hija menor produjo una serie de mandalas de este tipo, y más adelante lo hizo utilizando formas complicadas y aplicando varios colores.

Si hacemos un rápido repaso de la historia de la expresión creativa y artística, veremos que hay una brecha entre finales de la Edad Media y principios del siglo XX en lo que se refiere a las expresiones de la imaginación individual y la intuición. En este período, la razón y el desarrollo de la industria y la tecnología celebraban su apogeo, lo cual fue desastroso para la vida imaginativa de la mayor parte de la población. En el arte popular y en el ocultismo permanecieron los poderes mágicos, protectores y sanadores, aunque los habitantes de las ciudades los miraban con desdén y los consideraban poco importantes, o incluso atemorizadores. Recién ahora, cada vez más personas están empezando a darse cuenta de que hay un potencial mucho mayor para las posibilidades creativas e intuitivas oculto en cada individuo, algo que antes no se sabía. Sigmund Freud, Carl Gustav Jung y Roberto Assagioli respectivamente, hicieron importantes contribuciones a través de sus interpretaciones de los sueños y los símbolos, demostrando la existencia del subconsciente, del Yo Superior, el inconsciente colectivo y de técnicas como imaginar y la visualización. Concretamente, el psicoanalista suizo Jung estudió el simbolismo que aparece en los mandalas y produjo una obra pionera con la finalidad de que este material fuera accesible a un público más amplio. Más adelante, la estabilización de lo racional y la feminización de la sociedad contribuyeron a su influencia, en el sentido de que los valores femeninos fueron recuperando, lentamente, su credibilidad. Esto ocurrió, principalmente, porque la gente se abrió a sentimientos más sutiles, permitiendo que las habilidades intuitivas y espirituales se expresaran en el mundo visible.

Por conversaciones que he mantenido con diferentes personas, parece ser que el deseo de hacer mandalas suele originarse en una necesidad sagrada (en el sentido de totalidad)*. Algo en tu interior te motiva y este impulso sólo será satisfecho cuando hayas conseguido papel, lápices, pintura o material para bordado y puedas comenzar. Con este libro, espero poder contribuir al desarrollo del proceso creativo tanto interno como externo de muchas personas, y a que reflexionen sobre él. A quienes se inician en este proceso a partir de este momento les deseo mucha luz, fuerza e inspiración (¡y transpiración también, si a veces las cosas no parecen salir a la primera!).

---

* Juego de palabras intraducible entre *holy*, «sagrado» y *whole*, «total, completo».

Diseño textil copto de Egipto
(inicio del cálculo común).

1. El mandala

Los círculos, las espirales y otros objetos redondos siempre han sido estimulantes para nuestra imaginación. Nuestros antepasados lejanos eran conscientes de que estas formas tenían un significado especial. El hombre prehistórico dibujó las primeras formas circulares en rocas y cuevas, representando al Sol, la Luna y sus órbitas. Con el tiempo, surgieron religiones, cultos y rituales solares en torno a este portador de luz que nos da calor y es un prerrequisito para la veneración de la vida.

A través del culto al Sol, muchas personas y culturas desarrollaron una actitud hacia la vida en la que el pensamiento circular y la experimentación de los ciclos naturales de las estaciones ejercían un papel esencial. En un principio, para sus rituales sagrados utilizaban las cuevas circulares existentes y arboledas con una forma redonda u ovalada natural dentro del bosque. Más adelante, la gente empezó a marcar los lugares de ritual con círculos de piedras y a construir túmulos redondos para los cuerpos de aquellos que habían perecido.

Tras cientos de siglos, lo que inicialmente fueron unos ritos primitivos y sencillos se convirtieron en religiones en las que se hacía responsables del bienestar a unos dioses y diosas solares rodeados de un séquito de dioses y diosas menores. Para poder establecer contacto con ellos, en los rituales de muchas culturas del mundo aparecieron dibujos con una forma intencionalmente circular, que se pintaban en el suelo o en las paredes con arena coloreada, hierbas y especias trituradas, o con pastas hechas de granos o raíces finamente pulverizados.

Incluso en la actualidad, en algunas culturas estas construcciones geométricas, a menudo complejas, se siguen utilizando como símbolos religiosos o en los rituales de sanación. En Australia, los aborígenes usan sus «sueños», dibujados en la arena, para establecer contacto con sus ancestros en el «tiempo de ensueño»: un lugar sobrenatural en su mundo espiritual. Los indios navajo norteamericanos realizan pinturas de arena en el suelo para los rituales secretos de sanación. En el sur de la India, se dibujan mandalas, *yantras* o *kolams* en lugares sagrados con pasta de arroz, hierbas y especias de colores para honrar, por ejemplo, al dios-serpiente. Después de realizar una serie de rituales, el mandala es borrado por unas muchachas que, avanzando sobre sus nalgas, realizan una danza en la que entran en un trance profundo. Los mandalas más conocidos en Occidente son las pinturas bellamente coloreadas del Tíbet (*dkyil'khor*) que se pueden ver en muchos monasterios en las paredes y en bastidores de seda, y que se utilizan como objetos para la meditación y la contemplación.

La palabra mandala proviene del sánscrito y significa «círculo sagrado», «anillo mágico», «rueda», «centro» o «aquello que es la esencia». Por lo tanto, es una palabra que proviene de las tradiciones asiáticas y se refiere a los motivos circulares que se originan tanto en las tradiciones religiosas como en los mandalas personales que aparecen en este libro, los cuales surgen de la intuición de quien los hace.

Los mandalas para el culto, como los que encontramos en el Tíbet y en la India, siempre se hacen de una forma concreta, según las instrucciones tradicionales, y tienen un número limitado de motivos. Los mandalas personales pueden tener un número ilimitado de motivos y símbolos, porque son la expresión de la totalidad de la persona dentro de la experiencia interior y exterior que ésta ha tenido del mundo. El mandala personal representa el proceso de individuación de una persona (el proceso de desarrollo personal) y contiene símbolos religiosos, espirituales y psicológicos surgidos de la intuición. Este simbolismo tiene una naturaleza meditativa y puede conducir a la transformación de la persona.

Tanto si el mandala está sujeto a unas reglas tradicionales estrictas como si expresa libremente la imaginación creativa, el simbolismo que contiene siempre muestra tintes arquetípicos. Según Jung, los arquetipos son imágenes primitivas de motivos recurrentes que se encuentran en los mitos y en los cuentos de hadas de la literatura mundial y que también aparecen espontáneamente en la actualidad en los sueños, fantasías, visiones y dibujos de la gente. Jung presentó el concepto de mandala a la sociedad occidental a principios del siglo XX. Él solía empezar la mañana realizando un dibujo circular simétrico en su *Cuaderno Rojo* (uno de sus diarios) para poder comprender sus propios procesos psíquicos, y así descubrió que todos los pasos que daba lo llevaban siempre al mismo punto, es decir, al centro. Jung vio que el propósito del desarrollo psíquico era la consecución del «Ser». En el mandala, el camino siempre nos conduce al núcleo, a la individuación de la personalidad, a la totalidad psíquica. Jung consideraba que el Ser es una entidad que se coloca por encima del «yo», que comprende tanto la psique consciente como la inconsciente. En esta visión, el Ser es tanto el centro como la circunferencia. Jung realizó múltiples investigaciones sobre el simbolismo de los mandalas estudiándolos desde una variedad de culturas y analizando también las expresiones espontáneas en sus propios dibujos, danzas y sueños, así como en los de sus pacientes. Al hacerlo, descubrió un mundo de símbolos arquetípicos y nos reveló un tesoro de sabiduría.

El mandala en todas sus formas

Uno podría pensar que sólo la imaginación humana es capaz de producir mandalas, pero nada más lejos de la verdad. Los diseños circulares aparecen de una forma natural tanto a un nivel microcósmico como macrocósmico y exhiben una estructura simétrica que se repite en cada forma y expresión individual. Cuando estudiamos estos modelos repetitivos, comenzamos a percibir las leyes cósmicas subyacentes.

Si observamos la naturaleza, encontramos mandalas en las flores, las hojas, las telarañas, los ojos, los anillos anuales de los árboles, los cristales de hielo, las manzanas cortadas por la mitad, en los círculos concéntricos que se producen cuando arrojamos una piedra al agua, en las vibraciones del sonido cuando se hacen visibles, en los kiwis, los pepinos, las células, los átomos, la nebulosa en forma de espiral, los sistemas solares, etc. Los fractales son diseños que se repiten constantemente cuyas formas permanecen idénticas, sin importar con cuanta frecuencia sean magnificadas o reducidas en tamaño. Pueden exhibir hermosas estructuras de mandalas porque crecen centrífugamente, es decir, desde el centro. En la naturaleza lo podemos apreciar en los copos de nieve, en las olas, en las nubes, en el crecimiento de las plantas y en las vías fluviales. En la actualidad podemos crear con el ordenador fractales muy artísticos que parecen mandalas nebulares.

Fractal generado por ordenador.

El primer mandala que ve la mayoría de nosotros es el pezón de su madre (o su sustituto, el biberón o el chupete): la fuente de vida esencial, el centro del que fluye un alimento valioso. Además, encontramos formas de espiral en las conchas de los caracoles, cuando miramos la parte superior de las piñas, y en los remolinos y los tornados.

El Sol y la Luna como círculos mágicos

Los pueblos prehistóricos representaban al Sol y la Luna como mandalas circulares y espirales, pintados en las paredes de las cuevas y en las rocas. El Sol, la Luna y sus órbitas también solían representarse en utensilios de piedra, hueso o madera. Muchas culturas honraban al Sol con danzas circulares o solares. Hace unos cinco mil años, en Irlanda e Inglaterra se levantaron círculos de piedra; el más conocido es Stonehenge. Tras muchas especulaciones sobre los orígenes y el propósito de este círculo, los investigadores (principalmente Gerald Hawkins) concluyeron que en realidad era un observatorio solar y lunar, ya que el Sol siempre sale por encima de una determinada piedra durante el solsticio de verano (aproximadamente el 21 de junio). Las investigaciones han revelado que Stonehenge asimismo podría utilizarse para predecir eclipses lunares.

New Grange, en Irlanda, es un santuario sagrado neolítico, un túmulo redondo que mide 80 metros de diámetro y poco más de 13 metros de altura. Durante el solsticio de invierno, alrededor del 21 de diciembre, los rayos del Sol entraban una vez por un largo pasillo y caían sobre una determinada piedra en el más sagrado de los lugares de la cámara redonda que había en el interior. Originalmente, el montículo estaba rodeado por un círculo de piedra de 30 megalitos (piedras enormes) y cubierto con una capa de cuarzo, lo cual hacía que fuese visible desde lejos, como una almenara deslumbrante.

En 1934, en la provincia holandesa de Drenthe se realizaron unas excavaciones cerca de Assen, en Ballooërveld (actualmente un campo de entrenamiento militar). Dos túmulos redondos «compañeros» de la Edad de Bronce (aproximadamente 1500-1400 a. C.), que están conectados en una línea este-oeste, forman un observatorio solar. Probablemente, los 16 agujeros que rodean al montículo más pequeño era el lugar donde se colocaban las estacas de madera que correspondían a los 16 puntos de la brújula. Este montículo tiene más de 11 metros de diámetro. El más grande, ubicado a unos 11 metros al este del pequeño, tiene casi 15'5 metros de diámetro, es ligeramente más alto que el pequeño y tiene 19 hoyos para las estacas. Las tangentes que se pueden trazar entre los agujeros ubicados más al sur y los que están más al norte de ambos túmulos se intersecan en un punto que se encuentra a más de 60 metros al oeste del montículo más pequeño. El 21 de marzo (equinoccio de primavera) y el 21 de septiembre (equinoccio de otoño), el Sol se pone precisamente detrás de dicho punto.

Formas circulares en la vida cotidiana

A diario, sin que nos demos cuenta, estamos en contacto con muchos objetos que se asemejan a los mandalas. Si nos fijamos, todos los días vemos cosas como las tapas de registro, los relojes, las ruedas, los paraguas, la vajilla, la noria y el carrusel de la feria, el calidoscopio y la brújula, que son circulares y además suelen estar adornadas con figuras simbólicas o rayos en torno a un punto central. Un examen más atento revela que todos estos objetos simbolizan diversos aspectos de nuestras vidas. Nos protegen, nos indican la hora y el lugar, nos transportan, cierran algo o nos proporcionan una sensación de diversión. En un contexto más amplio, a menudo vemos formas redondas en el trazado de ciudades, pueblos, fortalezas, laberintos, jardines, edificios, templos y montículos sagrados. Algunos ejemplos son el complejo de templos budistas de Borobudur en Java, la estructura básica de los templos hindúes de la India, la ciudad fortificada holandesa de Naarden, la Place de l'Étoile en París, la estructura de una auténtica aldea africana y el tipi de los indios norteamericanos.

Las formas de mandalas en el arte popular

El inicio de nuestra exploración de la forma del mandala en el arte se encuentra en la prehistoria, época en la que los pintores rupestres expresaban su inspiración artística dibujando soles y espirales, dioses, personas y animales. En años posteriores (desde varios siglos antes de la era cristiana hasta la actualidad) los mandalas abundaron en el arte popular y religioso. En prácticamente todas las culturas del mundo aparecen diseños circulares en pinturas, bordados y tallas populares, y en azulejos y mayólica (loza de barro).

Muestra de un motivo ornamental, para beneficio de varios miembros del oficio.

El pintor Albrecht Dürer (1471-1528), en particular, contribuyó a difundir diseños circulares por Europa a través de sus libros de ejemplos de ornamentación geométrica para pintores, fabricantes de muebles y otros artesanos (*Unterweysung der Messung mit dem Zirckel und Richtscheyt*, 1525). Muchos de estos diseños se basaban en formas antiguas que todavía se encuentran en España, en el País Vasco, y en Hungría, la región alemana de Baviera, Austria y Suiza. Los descendientes de los emigrantes europeos de estas zonas que se establecieron en el siglo XVIII en el continente norteamericano en Pensilvania continúan utilizando estas formas circulares y de estrella en sus graneros construidos al estilo tradicional; entre otras cosas, para alejar a los malos espíritus y favorecer las buenas cosechas.

Estos diseños se llaman *hex signs*. El término *hex* proviene de la palabra alemana *Hexe* («bruja» o «hechicera»), lo cual alude a que la práctica de la magia era común entre los antepasados de los europeos emigrados a Pensilvania.

Otros inmigrantes europeos introdujeron en Norteamérica las colchas llamadas *quilts*, las cuales se componen de formas geométricas hechas con retazos de tela cosidos (*patchwork*) a las que luego se añade un refuerzo acolchado que a menudo se cose con forma de estrella, empezando desde el centro. En muchos bordados y pinturas populares (como los que aparecen en muebles y utensilios) y en los huevos de Pascua encontramos la estrella de 8 puntas, y también vemos numerosas representaciones estilizadas de árboles, flores, animales, aves, soles y lunas. Estos motivos se originan en la imaginación de quien los crea, pero en realidad están basados en imágenes primitivas y arquetípicas.

Muchos símbolos han sido utilizados para propósitos mágicos. El «lazo mágico» o «lazo turco» es un lazo infinito con 5 vueltas o 6 cintas trenzadas dibujadas dentro de un círculo o talladas en madera. Por toda Europa, estos ornamentos con forma de lazo se colocaban en objetos cotidianos como zuecos y estufas. En los zapatos nupciales, el lazo mágico combinado con pequeños corazones trenzados simbolizaba una vida feliz para la joven pareja.

Después de la invención de la imprenta en el siglo XVI, la expresión creativa y original decayó. La imprenta hizo que la gente pudiera acceder a gran escala a una mayor cantidad de diseños para el bordado, el dibujo, la pintura y la talla en madera. Es posible que algunas personas continuaran haciendo cosas originales, pero la mayoría de piezas producidas se asemejaban. En los dechados que se pusieron de moda a mayor escala a partir del siglo XVII, las chicas y las mujeres jóvenes aún podían utilizar un poco la imaginación en su elección de los colores y la disposición de los diseños en el bordado con punto de cruz. No obstante, estos modelos seguían siendo una imitación de los motivos ya existentes. Durante la primera mitad del siglo XIX, un editor de Berlín introdujo en el mercado los primeros diseños con números a los que se adjudicaba un color (Berlin Woolwork). Tales motivos se hicieron rápidamente populares en Europa occidental y en Estados Unidos, y esto fue realmente lo que acabó con la imaginación individual y el bordado al estilo libre.

Desgraciadamente, hasta el día de hoy las cosas no han cambiado mucho a este respecto. De hecho, ha habido un empobrecimiento aún mayor, porque la población en general ya no practica el bordado ni la pintura populares, de manera que los padres y los maestros de escuela han dejado de enseñar estos principios a los niños. Por fortuna, todavía hay libros y revistas dedicados al tema que pueden servir como fuente de inspiración.

Tan sólo a principios del siglo XX y durante las décadas siguientes aparecieron movimientos que propagaron la forma intuitiva de aproximación al arte, entre los que se encontraban pintores como Wassily Kandinsky, Paul Klee, Vincent Van Gogh, Georgia O'Keefe, Nicolas Roerich y Frida Kahlo, y escritores como W. B. Yeats y Frederik van Eeden, así como el fundador de la antroposofía, Rudolf Steiner; todos ellos intentaron despertar en un público más amplio el interés por el arte. La filosofía de la Asociación Teosófica tuvo una gran influencia en las nuevas ideas en la pintura, que utilizaban como punto de partida las «formas-pensamiento» percibidas de manera clarividente por Annie Bessant y C. W. Leadbeater.

Todavía podemos encontrar muchos simbolismos circulares en los juegos de los niños y en las danzas populares. Los juegos en círculo más conocidos incluyen «La gallina ciega», «El corro de la patata», «Esquivar la pelota», «Cubrir la silla», «¿Quién falta?», «Pasa la bola», etc. Una forma de danza excepcional es la danza meditativa de los derviches turcos, los cuales expresan el movimiento de la Tierra alrededor del Sol girando sobre sus propios ejes. Recientemente, el coreógrafo alemán Bernhard Wosien presentó el concepto de «danza sagrada». Tanto las danzas tradicionales como las danzas de Wosien contienen gran número de símbolos y palabras que se bailan en formas circulares o de espiral. El propósito es que los bailarines realicen la danza y la experimenten como un ritual interior. Al repetir continuamente los movimientos y los ritmos, alcanzan un estado meditativo que les permite desprenderse de los pensamientos y que el cuerpo y el espíritu entren en armonía.

El mandala en las religiones occidentales y el arte alquímico

Aparte de los artesanos celtas y germánicos de las poblaciones de las tierras bajas, en las ciudades cristianas de la Europa medieval se formaron muchos gremios, los cuales, a su vez, crearon sociedades para determinados oficios, incluidas la pintura y la arquitectura. Con la aplicación de la perspectiva, la pintura, que consistía principalmente en la representación de escenas religiosas basadas en historias bíblicas, pasó de ofrecer unos dibujos todavía algo primitivos a unas obras de una perfección casi fotográfica. La arquitectura floreció, y esto permitió que se levantaran enormes catedrales adornadas con imágenes simbólicas y alegóricas, y con pinturas y vitrales, especialmente los llamados «rosetones».

Los rosetones son los mandalas cristianos más conocidos y se encuentran en iglesias y catedrales. La catedral francesa de Chartres, construida en el siglo XIII, contiene el rosetón más famoso. Estas ventanas circulares con vidrios de colores presentan una verdad eterna, el Logos, la palabra. Ahí, Cristo está de pie en el centro, como Logos. En muchos casos, también encontramos a una Madonna con niño en el centro, como la Diosa Madre. La rosa es el símbolo del amor. Proyectada en forma de ventana, representa el amor por el Creador. De este modo, los rosetones son símbolos de la unidad divina y cósmica. En el arte religioso cristiano de los orígenes, aparecen mandalas redondos y cuadrados en los iconos, los sellos y los techos de las iglesias, en cuyo centro suele estar representado Cristo, con los cuatro evangelistas en las esquinas.

Un mandala bordado excepcional, del siglo XI, es un tapiz del Génesis proveniente de España. Está hecho de lana roja bordada con hilos de colores con punto tallo, punto cadeneta y punto llano. Cristo se encuentra en el círculo interior. La historia de la Creación se desarrolla entre los círculos interior y exterior. Alrededor del círculo exterior, en las esquinas del rectángulo que lo rodea, hay cuatro figuras que representan probablemente a los cuatro evangelistas. El borde rectangular está hecho de varios bloques cuadrados en los cuales se representan diversas escenas simbólicas, como el *Annus* (el año), las cuatro estaciones, Sansón, los meses, los ríos del Paraíso, y círculos que contienen *Dies Solis* y *Dies Lunae* (domingo y lunes). El tapiz está dañado en la parte inferior, pero todavía se ve claramente que dicha zona representa el descubrimiento de la cruz. Lamentablemente, no sabemos más sobre quiénes hicieron y utilizaron este hermoso mandala.

En su libro *Scivias* [Conoce los caminos], la mística, vidente, profeta y sanadora medieval Hildegarda von Bingen (1098-1179) presenta una serie de miniaturas que constituyen hermosos ejemplos de los mandalas que aparecieron en sus visiones. Estas representaciones, realizadas por los miniaturistas en el convento benedictino del que fue abadesa, servían para ayudar a la contemplación. Obviamente, el simbolismo que Hildegarda utiliza proviene sobre todo de la tradición cristiana, pero va mucho más allá y, por su naturaleza cósmica y arquetípica, lo abarca todo. El simbolismo de las miniaturas revela que ella estaba en contacto con su propio subconsciente y con el inconsciente colectivo. Ahí vemos, entre otras cosas, el Sol, la Luna, las estrellas, los planetas, las nubes, el fuego, el viento, el agua, los animales, los ángeles y, en el centro, a Dios, o a un ser humano, como símbolo de la humanidad.

Otro místico, el filósofo hermético y alquimista Jacob Boehme (1575-1624), describe los orígenes del mundo en su *Clavis* [La llave], donde utiliza como ilustraciones para su filosofía 13 grabados redondos, emblemáticos, dibujados por Dionisio Freher. En estos grabados aparecen con mucha frecuencia símbolos como el círculo, el triángulo, la estrella de 6 puntas, números, símbolos astrológicos, la Tierra, el Sol y la Luna. Durante la Edad Media y los siglos siguientes, los practicantes de tradiciones esotéricas occidentales como los rosacruces, los cabalistas y los alquimistas no revelaron sus conocimientos y sus costumbres, de manera que sólo se supo posteriormente que utilizaban mandalas para la contemplación, la meditación y también para las prácticas espirituales. Ciertamente, en aquella época no se les llamaba «mandalas». En ellos, una vez más, descubrimos números, plantas, animales y figuras humanas (rey, reina y esqueleto), además de objetos simbólicos como pueden ser jarrones, tazas, copas, botellas, coronas, espadas, fuentes y montañas. Robert Fludd y Matthieu Merian fueron dos de los alquimistas que elaboraron mandalas entre los siglos XVI y XVII.

Formas asiáticas de mandalas

Los mandalas tibetanos se han convertido en las pinturas más conocidas del lejano Oriente. Estos mandalas tienen el propósito de ayudar en ceremonias, ritos de iniciación y en la meditación. Contienen diversos símbolos y representaciones de deidades, más o menos establecidos, a través de los cuales, por ejemplo, un monje que desee una iniciación obtiene la sabiduría que lo conducirá a la liberación. Alrededor del círculo exterior más grande suele haber una corona de llamas y, dentro del círculo, un cuadrado dividido en cuatro triángulos que simbolizan los cuatro puntos cardinales. Con frecuencia, el centro contiene una flor de loto con la representación de una deidad en su interior. Dado que estos mandalas contienen unas figuras agrupadas en torno a un punto central, su forma es simétrica y, por ende, expresa armonía y equilibrio.

Considerando que representan al cosmos en miniatura, en ocasiones estos mandalas reciben el nombre de «cosmogramas». Pueden encontrarse pintados en una pared, o sobre seda, pero también se pueden crear con fina arena o polvo de colores espolvoreados sobre un fondo.

La forma básica de un mandala tibetano.

Un ritual de mandalas de arena que ahora es conocido en Occidente es el mandala *kalachakra,* proveniente de la tradición *anuttara* de yoga tántrico. Este mandala es construido meticulosamente sobre un bastidor en una mesa especial, lo cual ya es un ritual en sí mismo. A continuación tiene lugar el resto de la ceremonia, incluida la iniciación de los monjes. Por último, el mandala es destruido mediante el barrido del polvo, el cual es depositado en un jarrón decorado como una deidad. El ritual concluye con el vaciado del contenido del jarrón en un río.

Relacionado con el mandala está el *yantra,* el cual, en contraste con los colores vivos del primero, no suele hacer uso del color; su tamaño es inferior, pero contiene figuras como círculos, triángulos y cuadrados, y también el loto. Hay yantras que representan a ciertas deidades, como el conocido Sri Yantra, que simboliza el equilibrio entre las energías masculina y femenina. Se trata de un yantra muy poderoso y dinámico que representa el ombligo de la Madre Divina. El poder masculino de Shiva está representado por 4 triángulos con las puntas hacia abajo, mientras que el poder femenino, Shakti, está simbolizado por 5 triángulos que apuntan hacia arriba. Los yantras, que son de naturaleza más general y cuya función es proteger de las enfermedades y el peligro, suelen tener un diseño más sencillo y normalmente se pintan en paredes y suelos con pasta de arroz. En el sur de la India, más concretamente en la provincia de Tamil Nadu, estos yantras y mandalas son un fenómeno frecuente y a veces reciben el nombre de *kolam*.

Ejemplo de kolam típico del estilo del sur de la India.

En el budismo shingon japonés esotérico, en ocasiones también llamado *mikkyo* (enseñanza secreta), el mandala (*mandara* en japonés) es la fuente de la experiencia de Shakyamuni cuando éste alcanzó la iluminación meditando bajo el árbol de la Bodhi y adquirió así el nombre de

Buda. En este contexto, la palabra mandala tiene el significado de «aquello que contiene la esencia». En este caso, la esencia es la iluminación de Buda, y se origina en el mandala. El mandala es el néctar, el templo, pues contiene en un solo lugar todos los poderes de la verdad iluminada.

Las escuelas hindúes de yoga nos han enseñado lo que son los 7 chakras, los centros de energía en la columna vertebral y el cerebro. Los chakras (literalmente «ruedas») suelen representarse como padmas o flores de loto, figuras similares a los mandalas que tienen su propio simbolismo. En el capítulo 5 se describen de forma breve la función y el simbolismo de cada uno de los chakras.

Formas de mandalas de los pueblos nativos norteamericanos y de Centroamérica

Las pinturas de arena de los indios navajo de Norteamérica merecen una especial atención. El hombre o la mujer medicinal, como sanador o sanadora chamánico, realiza pinturas para determinados acontecimientos rituales. Estas imágenes suelen pintarse con arena, sobre el suelo, pero en ocasiones el navajo pinta sobre cuero o tela con maíz, polen, raíces machacadas y cortezas. Existe un ritual de sanación en el que la persona enferma se sienta o se tiende en medio de la pintura de arena, que dura 12 horas, al cabo de las cuales la pintura es destruida. Estas ceremonias son sagradas y anteriormente los navajos no permitían que nadie las presenciara, razón por la cual sus pinturas de arena han sido relativamente desconocidas hasta ahora. Algunas de ellas se conservan en museos, bajo pesadas planchas de vidrio.

Los cuatro elementos, tierra, agua, fuego y aire, son símbolos recurrentes en estas pinturas de arena. Otras imágenes que suelen aparecer son el arco iris, el Sol, el rayo, el arco y la flecha, las plumas, el maíz, hierbas y especias, y animales como el lobo, el oso, el conejo, el lince, el águila, el halcón y la serpiente con plumas. Existen distintos tipos de pinturas de arena, pero por lo general están estructuradas en torno a un punto central, con representaciones de los cuatro puntos cardinales, alrededor de los cuales hay una variedad de los símbolos mencionados anteriormente, y el conjunto de imágenes suele estar rodeado de un arco iris redondo o cuadrado abierto en la parte superior.

En las Montañas Rocosas se han hallado alrededor de 50 círculos de piedras que se remontan hasta el 2500 a. C. Representa la «rueda medicinal» de los nativos norteamericanos y están formados por un anillo exterior y un anillo interior que miden, respectivamente, 30 y 3 metros de diámetro. 28 rayos se extienden entre los anillos y, contando el elemento número 29, que sería el anillo, el círculo podría simbolizar el mes lunar.

Motivo en un canasto indio pima de Arizona.

La rueda medicinal es un término protector en las costumbres religiosas, filosóficas y chamánicas de los nativos norteamericanos. El círculo representa el universo y es también el espejo del ser humano, y cada persona es, a su vez, el espejo de todas las demás. Todo puede funcionar como un espejo: un lobo, una historia, una religión o la cumbre de una montaña. La función de la rueda medicinal se expresa en la danza del Sol, en la cabaña redonda de sudación que pretende ser un espacio de purificación como preparación para las ceremonias, en los escudos medicinales, el tipi, el tambor redondo, los canastos que muestran símbolos trenzados, los recipientes de barro, los *kivas* subterráneos o los espacios ceremoniales que representan el inframundo y el útero de la Madre Tierra, el ciclo de las estaciones, el nacimiento y la muerte. La rueda medicinal está llena de representaciones simbólicas, las cuales se pueden clasificar de la siguiente manera:

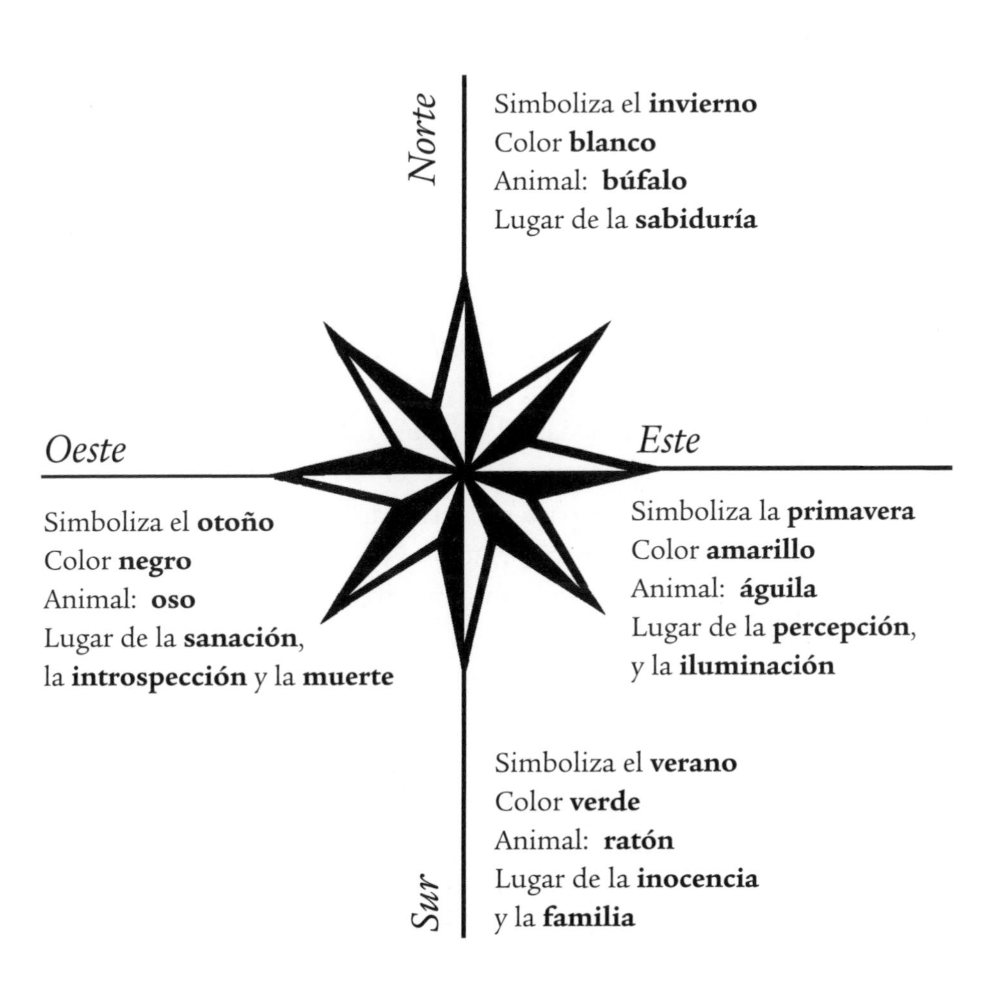

Los indios huichol de México también tienen costumbres y rituales antiguos. Uno de ellos consiste en hacer pinturas de hilaza, las cuales, en muchos casos, son redondas y simétricas. Estos mandalas de los nativos americanos se llaman *nealikas* y sirven para establecer una comunicación entre el chamán y el mundo invisible con el fin de determinar la naturaleza y el tratamiento de las enfermedades. El simbolismo del nealika refleja las visiones que se experimentan durante el trance con peyote (el cactus alucinógeno sagrado del desierto). En el centro se encuentra el espejo mágico que transforma una realidad en otra. Algunos de los símbolos que aparecen en estas pinturas de hilaza son pájaros, ciervos, águilas, serpientes, lobos, flores, peyote, el Sol, chamanes, la canasta medicinal, cuevas y la diosa madre, Tacutsi. Estas pinturas están hechas de hilaza de colores que se pegan sobre un fondo de madera con una mezcla de cera de abejas y resina de pino. Los huicholes también representan sus cuentos de esta forma.

El mandala como principio holístico

Hemos visto que la búsqueda del origen, la aparición y el uso de formas circulares y mandalas puede ofrecer una inagotable fuente de información. No obstante, para no abrumar con los detalles, me limitaré a mencionar unos cuantos principios de los mandalas. Al final del libro se incluye un repertorio bibliográfico para aquel que quiera realizar su propia investigación.

Algunas de las palabras clave que apuntan a una estructura de mandala son: yin-yang, I Ching, los «sueños» de los aborígenes australianos pintados en el suelo, el trabajo celta de trenzado, el calendario maya, el círculo mágico que las Wiccas (brujas y hechiceras modernas) visualizan en torno a ellas durante los rituales y el concepto de reciclaje en conexión con el uso renovado de materias primas.

De hecho, también podemos referirnos a conceptos como el ciclo de la vida, la reencarnación, las familias, los grupos (clases escolares, grupos de terapia, reuniones) y la comunidad en términos de procesos o formas de vida circulares. En nuestra sociedad occidental, rara vez pensamos en «redondo» o en totalidades (holísticamente). Tendemos a pensar de una forma lineal, en «cuadrados» (nuestras casas, apartamentos, urbanizaciones, la mentalidad de compartimentación) o yendo «del punto A al punto B». Así, podemos ver que, en cierto modo, los mandalas están entretejidos en el diseño de nuestra vida, pero debemos abrirnos a esta percepción para poder experimentarla también en nuestro interior.

Ying-yang.

Por un lado, somos influidos por las personas y las situaciones que nos rodean, tanto si se trata de un intercambio favorable como si no y, por otro, tenemos el impulso de buscar nuestras propias respuestas y nuestra propia esencia, en un contexto social y en nuestro interior. Aquí se aplica el antiguo proverbio que dice: «Cambia el mundo, pero empieza por ti». Ésta es la tarea más difícil, ¡pero no hay otra más gratificante!

1. El viaje interior

2. Sabiduría

3. Loto

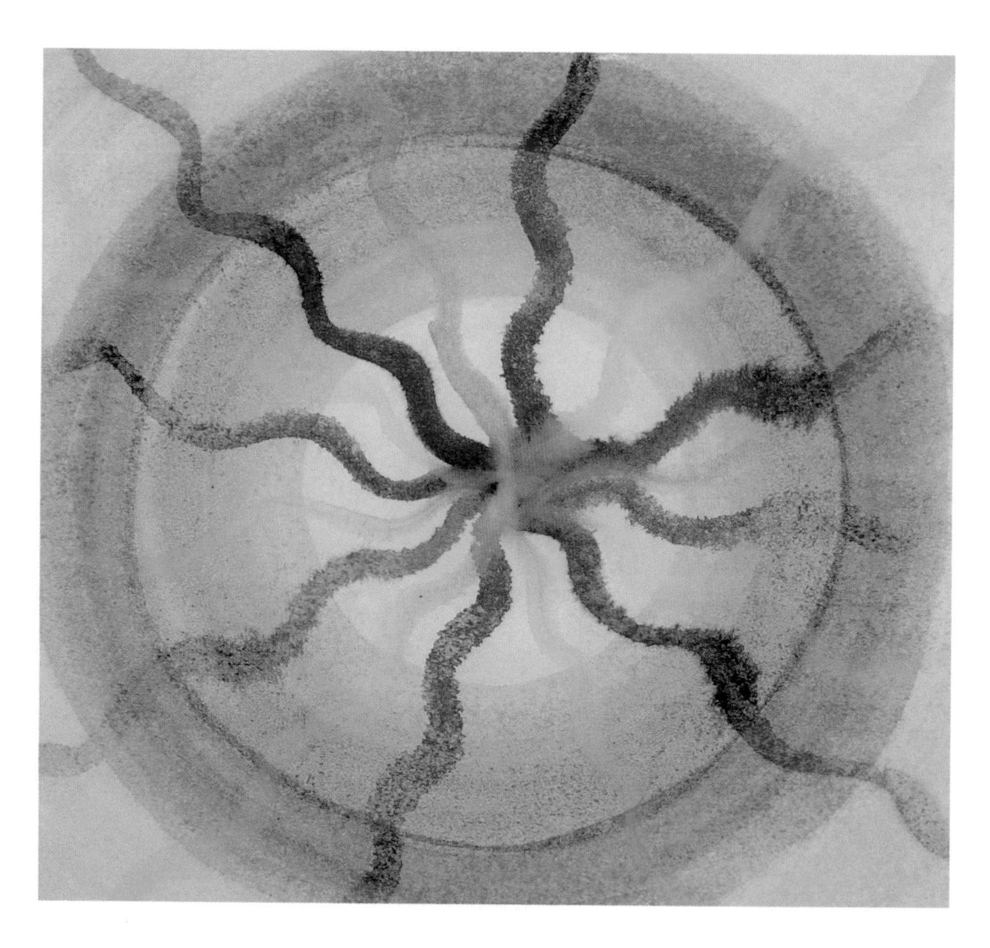

4. Energía 1

5. Energía 2

6. La fuente

7. Temor y anhelo

8. Sur En

2. Hacer mandalas como proceso de reflexión

Hacer mandalas no es sólo otra moda pasajera. En el capítulo anterior señalé que estamos tratando con imágenes arquetípicas en forma de círculo, con un centro donde aparecen símbolos como cruces, triángulos y cuadrados, y que han existido desde tiempos inmemoriales.

Los mandalas (a los que el pintor holandés Pieter Torensma ha llamado *heelbeelden* o «imágenes totales») son expresiones de nuestra necesidad innata de totalidad y unidad. En épocas de enfermedad, crisis personales, depresión, divorcio, guerras y desastres, tendemos a perder nuestro mecanismo de dirección interior cuando, de hecho, lo que necesitamos es que el descanso, la tranquilidad y la reflexión regresen a nuestras vidas, a nuestro centro. Muchas personas parecen ser capaces de recuperar su equilibrio psicológico mediante la terapia del arte. No es de sorprender que mucha gente esté asistiendo a cursos y talleres de pintura meditativa, dibujo intuitivo y creación de mandalas.

Se puede sentir una gran satisfacción creando un mandala. Puede ser una afición divertida y no es necesario aprenderla en un curso o una terapia. Muchas personas optan por experimentar y simplemente empezar un mandala, con el apoyo ocasional de reproducciones de algún libro sobre el tema. Hay quien se sorprende al descubrir que su dibujo redondo y simétrico, que hizo espontánea e inconscientemente, se denomina mandala y que su propia historia está oculta en él.

El mandala como reflejo de la vida interior

El mandala representa el proceso de asimilar elementos importantes en la vida que a menudo siguen siendo inconscientes, aunque estén prácticamente en la superficie de la conciencia. En realidad, el mandala es una expresión del microcosmos que se representa dentro de la persona y se revela en las formas, los símbolos y los colores presentes, y en su contexto combinado. El mandala funciona como un punto focal, como una lente que está enfocada en el interior y que refleja cualquier cosa que se esté representando en la psique en un momento dado. Cuando esto ocurre, el mandala es un reflejo del alma.

Por lo tanto, el proceso de asimilar y transformar imágenes inconscientes se expresa en símbolos que aparecen durante el desarrollo del mandala. Cuando estamos haciendo uno, es bueno tener en cuenta que, una vez que este proceso se ha iniciado, en ocasiones es difícil detenerlo. Pero tampoco sería inteligente hacerlo, porque a menudo este proceso marca también el comienzo de una nueva etapa en la vida, una época durante la cual se pueden experimentar, manejar y posiblemente resolver conscientemente cosas que están ocultas en lo más profundo del subconsciente. Podemos reconocer pautas básicas y temas recurrentes como un hilo que pasa por la vida de todo el mundo y que nos une. Así pues, al hacer un mandala o contemplar el de otra persona experimentamos imágenes que pueden ayudarnos a ser una totalidad, imágenes que evocan los poderes de transformación. Estos poderes pueden iniciar un proceso de toma de conciencia, de modo que es posible que nuestra vida dé un giro completamente distinto.

En general, copiar un mandala eliminará el elemento inspirador de la creatividad, porque no será un producto único de tu propia mente y de tu imaginación. No obstante, si te resulta difícil ponerte en contacto con tu propia fuente de creatividad, podría ayudarte empezar copiando un mandala, o colorear un mandala impreso como te plazca. Ésta sería una buena forma de empezar a experimentar y sentir la alegría de jugar con el color.

Esto no quiere decir que todos los mandalas hechos en casa tengan el mismo grado de inspiración. Es posible que simplemente quieras hacer una «imagen bonita» o probar una nueva técnica. Cuando tengas un dominio suficiente de la técnica y te hayas desprendido de la idea de producir una «obra de arte», la entrega al proceso y la inspiración natural tendrán su oportunidad. Entonces el resultado será un mandala único, vivo y alegre, que tendrá un atractivo interior. Su brillo vibrante tendrá un efecto transformador, el cual estará por encima del hecho de que tú o los demás lo encontréis bonito.

El simbolismo de los diseños y los colores en un mandala no tiene que ser inmediatamente visible y consciente. En una etapa posterior puede hacerse repentinamente evidente lo que significan en ese contexto un determinado símbolo y una forma o un color particulares.

Mientras uno trabaja en un mandala, afloran todo tipo de sentimientos: paz interior, contento, amor o alegría; sin embargo, también pueden aparecer el enfado, el miedo, el odio o la ira. Cuando uno se permite tener estos sentimientos y emociones, entonces puede experimentarlos conscientemente para tener la oportunidad de procesarlos o transformarlos. Ése es el efecto totalizador del mandala. Para crear una conciencia abierta e intuitiva mientras uno está haciéndolo, es importante alcanzar un estado de ánimo meditativo y reflexivo. Puedes facilitar esto asegurándote de que no haya interrupciones y de que tu respiración sea regular. Una música agradable de fondo, encender velas o incienso, o vaporizar aceites esenciales también contribuirá a crear la atmósfera adecuada. Podrías probar algunos de los ejercicios de relajación y visualización que aparecen en el capítulo 7.

Experimentar con técnicas intuitivas y creativas

¿Deberías hacer un mandala con un plan previo, o sin él? La respuesta es muy sencilla: todo es posible. En principio, no es importante cómo crees el mandala. El resultado siempre será la expresión de lo que se está representando en tu psique. Por este motivo, sería estupendo que simplemente experimentases todo tipo de técnicas y maneras de empezar un mandala. En el capítulo 3 se presenta una amplia visión de conjunto de las posibilidades, con una variedad de técnicas, como el dibujo, la pintura y el bordado.

Aun así, es cierto que un mandala hecho de una forma totalmente intuitiva y sin un plan previo puede contener más aspectos creativos y símbolos más significativos que uno pensado de antemano y que, por eso mismo, probablemente estará más estructurado. Aparte de eso, por lo general, un mandala o una imagen no siempre tienen que ser improvisados. Con frecuencia ocurre que la persona ve un mandala maravilloso en un sueño o en una visualización y luego intenta plasmarlo con la ayuda de alguna técnica creativa.

La siguiente pregunta es: ¿Dónde se encuentra el punto de partida para un mandala? ¿Va desde el centro hacia el exterior, o desde el círculo exterior hacia dentro? Esto marca una diferencia. Un mandala realizado desde el centro hacia fuera libera una energía interior oculta que desea manifestarse en el mundo exterior: el Ser se da a conocer y se vuelve visible; un mandala que se inicia en el círculo exterior estará más dirigido a la introspección, a reunir energía dispersa y a centrar pensamientos e ideas.

En ocasiones, comenzar un mandala simplemente desde el centro o desde el círculo exterior no funciona. Esto puede ocurrir si uno no está equilibrado psíquica o físicamente. Si éste es tu caso, empieza dibujando un círculo exterior, creando un espacio seguro para vivir y trabajar que, debido a su cualidad restrictiva, podría evocar una cierta paz. A continuación puedes dibujar algo dentro del círculo, algo que necesite tu atención. Puede ser cualquier cosa, dependiendo de tu estado psíquico. Podrían aparecer arañazos salvajes, formas flotantes sin ninguna conexión aparente unas con otras o combinaciones de color que «chocan». El dibujo podría acabar saliéndose del círculo. El resultado podría ser un dibujo de una «casita con árbol y perro». En todo esto, todavía no se aprecia la necesidad de simetría tan característica de los mandalas. Es posible que tengas que hacer unos cuantos dibujos como éste para realizar un trabajo preliminar que te ayude a encontrar la paz mental necesaria para, finalmente, llegar hasta tu propio centro interior. Sólo entonces el siguiente mandala podrá construirse simétricamente, desde el centro hacia fuera o desde el círculo exterior hacia dentro.

La elección del material que utilizarás para hacer el mandala también determinará el proceso creativo. Dibujar con un lápiz o bordar con punto de cruz, por ejemplo, se prestan a la perfección para los detalles pequeños, mientras que con pintura, pastel o pastel al óleo se pueden colorear rápidamente áreas más grandes y pasar luego a los detalles. La técnica también influye en el tiempo que te llevará hacer un mandala. Un bordado podría ocuparte semanas o meses, mientras que un dibujo o una pintura pueden hacerse en una o en pocas horas. Con una técnica «rápida» como la pintura, el centro del mandala aparecerá inmediatamente, o el círculo estará coloreado. Cuanto más avances, más lento se volverá el proceso. Obviamente, el tamaño del mandala y la cantidad de detalles que tenga también serán un factor importante.

La resistencia y las emociones

Algunos colores y algunas formas aparecen con mucha facilidad y espontáneamente, mientras que otros, a pesar de haber sido elegidos intuitivamente, pueden provocar resistencia. En un momento determinado, puede surgir una aversión hacia todo el mandala. El sentimiento de desagrado puede llegar a ser tan fuerte que despierte la necesidad de destruirlo, arrojarlo a la basura, tacharlo o pintar encima de él, lo cual no debería perturbarte, ya que simplemente forma parte del proceso. Esto significa que están saliendo a la superficie emociones o elementos oscuros que necesitan ser atendidos y procesados. Precisamente por este motivo es importante continuar, completar el mandala. Continúa con el proceso interior y, si es necesario, habla de él con otras personas. De este modo, es probable que se aclare lo que está ocurriendo.

Mientras uno hace un mandala, es importante permanecer en el aquí y el ahora. En ocasiones, los pensamientos van a la deriva e, inadvertidamente, te viene a la mente otra forma u otro color. Entonces es importante que centres tu atención y sigas adelante, concentrándote en tu trabajo. Existe una razón por la cual eliges un color y una forma en un momento dado. Lo que ocurra luego todavía no importa.

Si cometes un «error», esto también cuestiona el estado de tu atención. ¿Tus pensamientos estaban en todas partes y en ninguna, o estaba teniendo lugar una discusión interior? De cualquier modo, ¿se trata realmente de un error? ¿O es una pequeña señal que te envía el subconsciente para que despiertes y te enfrentes a un hecho en particular? Evidentemente, por alguna razón, cometiste un error. ¿Y ahora qué? Los fanáticos de los mandalas lo dejan y lo repiten unas cuantas veces. Cuando el mandala esté terminado, un pequeño error como ése podría acabar encajando a la perfección en el conjunto y el efecto no tiene por qué ser perturbador. Por otro lado, no está escrito sobre piedra que tengas que ver ese error eternamente. También puedes adaptarlo, lo cual, en un mandala, significa borrarlo, deshacerlo, pintar encima de él o darle un giro original y creativo.

Esta técnica de trabajo no tiene como objetivo producir unas obras de arte bonitas, sino permitir que aparezcan formas y colores intuitivamente. Con este método, el proceso es más importante que el resultado, así que el mandala tampoco puede juzgarse por su valor artístico. Lo principal es la realización, el puro hecho de estar ocupado haciéndolo y de ser capaz de acceder a fuentes creativas desconocidas. En cualquier caso, ¿quién sabe qué comentarios artísticos podrían surgir y qué tipo de artistas podrían manifestarse de esta manera?

Elegir un tema

Puedes decidir hacer un mandala sin tener en mente un tema en particular. Obviamente, esto producirá una imagen patente de la situación de ese momento. También es posible hacer un mandala sobre determinados aspectos de la vida, de las relaciones, los chakras u otros temas (por ejemplo, un horóscopo, una estación, la Tierra, los elementos, los números, cuentos de hadas o flores). El mandala puede tener un nombre o un título que puedes conocer de antemano, o que aparece durante el proceso, o que le puedes poner posteriormente.

Contemplar y analizar un mandala

Mientras haces un mandala, quizá puedas distinguir claramente símbolos y diseños que indican un tema central, o que puedes relacionar. En un diario, podrías llevar un registro de los sentimientos que surgen mientras eliges y utilizas los colores y las formas. Puedes fotografiar el mandala en las diversas etapas de su creación. Ello te permitirá seguir de cerca tu propio proceso desde el inicio, releer esa información más adelante y, finalmente, usar tu diario y tus fotos para analizar el mandala cuando esté terminado.

Para poder juzgar y analizar un mandala acabado, resulta muy útil hacer una lista de todos los colores, las formas, los símbolos y los números que aparecen, en orden de importancia. Te recomiendo que pienses en tus asociaciones con esas formas, colores y símbolos en particular y luego lo escribas e intentes descubrir su conexión contigo antes de consultar la explicación de los distintos símbolos en el capítulo 4, o en otro libro. En primer lugar, deja que te hable tu propio conocimiento de los símbolos y arquetipos. A veces, el mandala puede contener una «pequeña serpiente oculta en la hierba» debido al hecho de que los símbolos o las formas no siempre son inmediatamente visibles. Unas cuantas «manchas» muy juntas pueden formar una hermosa flor, la cual sólo puede reconocerse después de que esto ocurra.

El capítulo 6 ofrece una interpretación del mandala reproducido en la cubierta de este libro, así como también una breve descripción de los mandalas incluidos en las láminas de color. Utilizando las siguientes preguntas como guía, puedes analizar un poco más tu propio mandala:

- ¿Qué sentimientos surgen cuando utilizas los diferentes colores, o determinados símbolos? Puedes mirarlo en tu diario, si lo tienes.
- ¿Qué significan este color y este símbolo en este momento?
- ¿Cómo se realizó este trabajo? ¿Fue tranquilo, con prisas, apasionado, caótico, lineal...?
- ¿Qué tipo de reacción tuviste al cometer un error en el mandala?
- ¿Qué resistencias evocaron determinados símbolos o colores?
- ¿Dónde estaba el punto de partida? ¿En el centro, en el círculo exterior o en algún otro lugar?
- ¿Hay algún tipo de simetría en el mandala? ¿Cómo está construido?
- ¿Qué valores numéricos aparecen en él?
- ¿Hay formas que parecen ser flotantes y que, combinadas en un contexto más grande, traen a la luz una forma o un símbolo completamente distintos?

A partir de este tipo de cuestionario puedes crear una imagen de ti mismo, aunque no sea un todo estático. Si después de un mes o un año hicieras estas mismas preguntas, es posible que aparezcan unas respuestas totalmente distintas, o que percibas cosas enteramente diferentes en determinados aspectos. El mandala, al igual que la vida, es un proceso en constante movimiento.

3. Hacer mandalas como proceso creativo

La creatividad está presente en todas las personas y se exterioriza de muchas formas, no sólo en las artes plásticas y la música. La creatividad también se oculta en el talento para cocinar u organizar. Invoca la necesidad humana, natural, de representar pensamientos y sentimientos a partir de la nada y de ser capaces de entrar en ella, soltarla y obtener algo de ella. Ya que cuando creamos accedemos al inconsciente, dicha creación revelará un material que éramos incapaces de verbalizar. Proviene del alma, y al igual que una huella digital, el alma es una marca única, una singularidad de dicho individuo en particular a través de la cual se manifiesta y se diferencia de los demás. La creación es una expresión no premeditada de sentimientos e intuición. Lo principal es dejar que ocurra espontáneamente mediante un proceso natural. Cuando hacemos un trabajo intencional sobre un objeto determinado, usamos la voluntad y el pensamiento. En este caso, llamamos al proceso *descubrimiento* o *diseño*.

Roles de los hemisferios izquierdo y derecho del cerebro

La investigación científica sobre las funciones de ambas mitades del cerebro y cómo funcionan juntas continúa hoy en día. No obstante, podemos indicar de una forma general cuáles son sus respectivos roles en los procesos creativos.

Para la mayoría de la gente, la función del pensamiento se encuentra en la mitad izquierda del cerebro. Esto quiere decir que dicho hemisferio es responsable del análisis, la lógica y las matemáticas; el centro del habla también está ubicado ahí. La mitad derecha del cerebro es responsable de los sentimientos, la expresión no verbal, la percepción visual y espacial, el soñar, el afecto, la sexualidad, la espiritualidad, la imaginación, la intuición, la creatividad y las emociones.

En la sociedad occidental, el hemisferio izquierdo del cerebro está más desarrollado en la mayoría de la gente porque exigimos más de él mientras crecemos, en las escuelas y en las situaciones laborales. En la infancia, y más adelante en la edad adulta, uno debe ser capaz de aprender bien, de ser valiente y de pensar de una forma lógica. Los sentimientos, las habilidades sociales y la creatividad son menospreciados y, por ende, rara vez tenidos en cuenta. Muchas personas (los hombres con más frecuencia que las mujeres) carecen del poder de la imaginación, han bloqueado sus sentimientos y no han desarrollado la intuición, de modo que no hacen caso de sus habilidades creativas.

En una persona equilibrada ambas mitades del cerebro trabajan juntas. Los individuos que tienen el hemisferio derecho poco desarrollado podrían estimularlo con algunos ejercicios que podrían incluir la visualización creativa, la meditación, recordar y analizar los sueños, el trabajo con el cuerpo y la bioenergética, oír música agradable y la expresión artística y creativa como, por ejemplo, hacer un mandala.

Contemplar durante unos minutos un mandala sencillo, simétrico, en blanco y negro, puede estimular tu creatividad. Si te concentras primero en el centro y luego en todo el mandala sin analizar las formas, surgirá un estado meditativo que permitirá que el hemisferio izquierdo del cerebro se relaje para que el derecho pueda expresarse. Todo esto favorece ampliamente la serenidad de la mente, la cual es indispensable para que tu imaginación y tu intuición se manifiesten.

A las personas con serios conflictos emocionales o tendencias psicóticas se les suele aconsejar que no estimulen el lado derecho del cerebro, puesto que ya está sobrecargado. Es mejor para ellas realizar ejercicios que estimulen el lado izquierdo, preferentemente bajo la supervisión de un terapeuta, para que los hemisferios del cerebro y, por ende, las emociones y el comportamiento, puedan correlacionarse mejor. Una manera de conseguir esto es dibujando formas geométricas estructuradas y mandalas.

Una rica variedad de mandalas que difieren en su construcción y su diseño

Cuando alguien dice: «Yo hago mandalas», por lo general los demás saben qué significa el concepto de mandala, tienen una determinada imagen en la mente y asienten comprensivamente. Sin embargo, hay tantos tipos de mandalas como estados de ánimo y percepciones humanas. Su forma básica es, como ya hemos visto, un círculo con un centro y una simetría cuádruple. Si alguien hace un mandala intuitivamente, a veces la forma final es ovalada, cuadrada, octagonal o cualquier otra. También es posible que el mandala carezca de un centro. Cualquiera que desee crear un mandala haría bien en reflexionar antes sobre esto, quizá eligiendo una de las numerosas posibilidades que existen, o simplemente empezando y observando qué ocurre. Los mandalas más frecuentes son:

- Un círculo con un centro y una simetría cuádruple, con formas abstractas o concretas.
- Un círculo con un centro sin simetría, con formas abstractas o concretas.
- Un círculo con un centro con una simetría doble, triple, quíntuple, séxtuple o múltiple.
- Un círculo sin un centro, con formas abstractas o concretas que parecen ser interdependientes las unas de las otras.

- Un círculo sin un centro, con formas abstractas o concretas que tienen claramente una conexión entre ellas y que representan una situación, un estado de ánimo o una historia reconocibles.
- Otras formas, como cuadrados, óvalos, hexágonos, octágonos, con o sin simetría, y formas abstractas o concretas.

Con las últimas categorías, nos aproximamos a la frontera de lo que todavía apenas si es un mandala y lo que realmente no puede llamarse así.

Esto exige la pregunta: ¿cuál es la diferencia esencial entre un mandala puro (es decir, un círculo con un centro y una simetría cuádruple), una imagen de una «casa con árbol y perro» dentro de un círculo y un dibujo realizado intuitivamente sobre una hoja de papel cuadrada sin ningún círculo o simetría, pero con representaciones simbólicas? Como respuesta, podemos decir que un mandala se diferencia de otros dibujos o creaciones intuitivas por el simple hecho de que se realiza dentro de un círculo, en un espacio vivo estrictamente limitado, para que la energía no se pueda perder. Hay un centro, símbolo del «Yo Superior» o de la «Chispa Cósmica» del que lo hace, o «ventana» a otro mundo trascendente de imaginación e intuición.

Hay una división característica en 4 partes dentro del círculo que simbolizan los 4 puntos cardinales, los 4 elementos o las 4 estaciones, de tal manera que el contenido simbólico de la representación se revela 4 veces. Las formas simétricas, abstractas o concretas del inconsciente personal y colectivo se transforman en símbolos que se hacen visibles en el mandala. Precisamente debido al punto central y a las imágenes agrupadas en torno a él, que se repiten 4 veces, se crea una profundidad y un movimiento dinámico dentro del mandala que, por la forma de cruz entretejida en él, pueden armonizar los hemisferios izquierdo y derecho del cerebro. Un mandala así es agradable de ver y emana un efecto sanador.

Dibujo de mandala realizado por Abraham Huyser.

Piensa antes de empezar

La forma en que uno empieza un mandala determina en gran medida el curso del proceso creativo. No se aplica ninguna regla rígida, de modo que antes de comenzar, es bueno que pienses qué método y qué técnica te atraen más.

1. Para hacer un mandala de una forma enteramente intuitiva, toma una hoja de papel nueva o una tela de bordado. Sin utilizar ninguna herramienta como el compás o la regla, elige espontáneamente el centro. En él, coloca el pri-

mer punto o la primera cruz. Te recomiendo que inicialmente tengas un máximo de 6 colores de lápices, pintura o hilo de bordar listos para usar y que empieces con el color que te atraiga más. Desde el punto de inicio, traza una línea o una figura que vaya hacia arriba, sin pensar de antemano qué aspecto tendrá. Deja que el lápiz, el pincel o la aguja busquen su camino, y observa lo que ocurre.

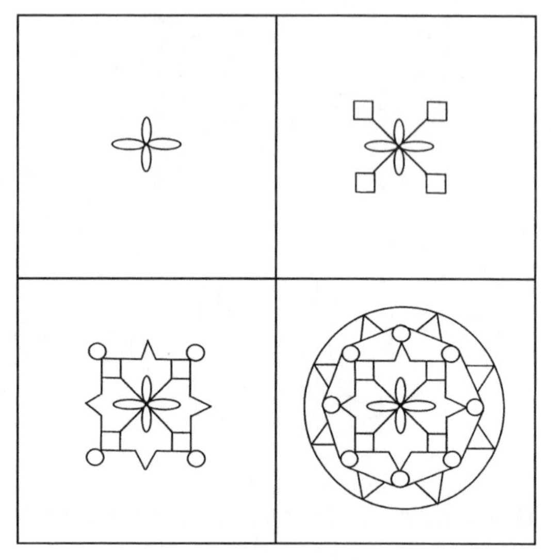

Ejemplo de la construcción esquemática de un mandala dibujado intuitivamente.

Repite esto 3 veces más, hacia abajo, hacia la izquierda y hacia la derecha. A continuación, elige otros colores, de una forma totalmente intuitiva, y no te preocupes por si combinan bien o no según los expertos en el tema. Para este momento, ese color es el que debes usar. Intenta desprenderte de todos los pensamientos superfluos. Es importante que pongas toda la atención en el mandala. De este modo, hacerlo se convierte en una actividad con suspense, sorpresa, pero también relajante, con la cual disfrutarás y sentirás una gran satisfacción. Si lo deseas, puedes anotar tus sentimientos y percepciones en un diario mientras haces el mandala, y tomar fotos de las diversas etapas. Cuanto más se expanda y se elabore, más formas detalladas pueden aparecer. En cierto momento, sentirás que el mandala está casi terminado. Aquí, una vez más, no hay ninguna regla que determine el límite o la forma. El mandala puede cerrarse con un círculo dibujado a mano alzada, pero también con un cuadrado, un octágono u otra forma. Algunas personas simplemente continuarán hasta que el papel o la tela estén llenos.

2. Un mandala construido desde el borde exterior puede tener como resultado un proceso muy distinto. Tomaremos como ejemplo un círculo dibujado con un compás.

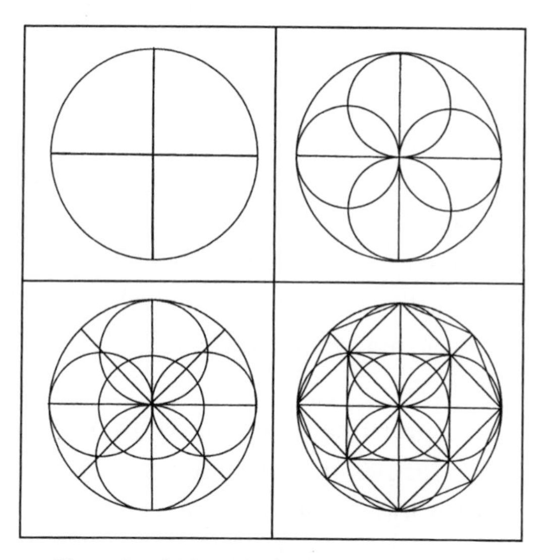

Ejemplo de la construcción esquemática de un mandala dibujado con regla y compás.

Al trazar una línea horizontal y otra vertical que pasan por el centro, creas la forma de una cruz en su interior. En este marco, ya sea con la ayuda de un compás y una regla o a mano alzada, dibuja líneas, triángulos, cuadrados, círculos y otras figuras dentro del mandala. A continuación, colorea el mandala con lápices, pintura, tiza o hilos de los colores que hayas seleccionado. Este proceso es ligeramente menos intuitivo y más estructurado, pero, aquí también, las formas y las combinaciones de colores pueden arrojar símbolos inesperados.

3. Una tercera posibilidad es hacer un mandala con plantilla. Dibujar un círculo es opcional. Sobre un trozo de cartón fino, dibuja una o más formas y recórtalas. El cartón se habrá convertido en una plantilla. Puedes colocarla en tu círculo, empezando por el centro, y trazar las formas moviendo la plantilla a su alrededor hasta que esté lleno. A continuación, rellena el diseño que ha aparecido con los colores que elijas intuitivamente. Todo el proceso puede dar como resultado un juego de colores equilibrado, particularmente debido a que el diseño se repite de modo constante. Puedes repetir el diseño 4 veces, pero también resulta muy divertido ver el efecto que se produce cuando lo repites un número mayor de veces. ¡Experimenta con esto todo lo que quieras! Cuanto más simples sean las formas de la plantilla, más sereno será el mandala; cuanto más caprichosas, más vivaz será el resultado.

4. Para conseguir una imagen precisa de los colores del arco iris y sus formas mixtas, puedes hacer un mandala de la rueda de colores. Inicialmente, la rueda de colores se hace con el rojo, el amarillo y el azul. Éstos son los colores primarios, los cuales, cuando se mezclan de a dos, dan como resultado los colores secundarios. El rojo y el amarillo forman el naranja; el amarillo y el azul dan el verde, y el azul y el rojo producen el violeta. Con estas combinaciones se puede construir un mandala con la secuencia de colores del arco iris. Con ayuda de este esquema, también es posible

descubrir qué colores son opuestos y cuáles se complementan o se refuerzan el uno al otro, precisamente debido al contraste. Las siguientes combinaciones son parejas complementarias: rojo-verde, amarillo-violeta, azul-naranja.

Se puede hacer un mandala con un círculo con una estrella de 6 puntas en su interior, por ejemplo, o con un círculo con un centro del cual salen 6 triángulos de 60°. Puedes ampliar el mandala de la rueda de colores dibujando 12 triángulos de 30°. Cuando se mezclan los colores primarios con los secundarios, producen los colores terciarios. La rueda de 12 partes está formada por los siguientes colores: rojo, rojo-naranja, naranja, naranja-amarillo, amarillo, amarillo-verde, verde, verde-azul, azul, azul-violeta, violeta y violeta-rojo.

Añadir blanco a los colores los suavizará y dará como resultado unos tonos pastel, mientras que el negro los oscurecerá, lo cual reducirá la calidad del color. En el próximo capítulo comentaré el simbolismo de estos colores y de otros que todavía no he mencionado (índigo, rosa, blanco, negro, gris, marrón, dorado y plateado).

Al preparar mandalas, la experiencia del color tiene un papel muy importante. Los colores influyen en nuestro estado de ánimo, y éste determina qué colores elegiremos. Mediante la aplicación terapéutica de la energía sanadora de un determinado color se puede influir en estados de ánimo psicológicos o en enfermedades, y transformarlos. El juego de colores es una expresión del intercambio entre la luz y la oscuridad. Por eso, también puedes hacer un mandala dejando que los distintos tonos de un mismo color pasen de la luz a la oscuridad, o usando contrastes fuertes de distintos tonos de un color. Si quieres expresar contrastes muy marcados el mayor es el del blanco y negro (como en el símbolo de yin-yang), aunque la combinación de los complementarios también se presta bien para esto.

Dibujar formas

Además de los mandalas realizados enteramente a partir de la imaginación, existen los que están construidos con formas geométricas. Dibujar a mano alzada formas como líneas, remolinos, meandros, espirales y círculos, o dibujar formas geométricas simétricas como rosetas, pentagramas o el trabajo celta de trenzado, se utiliza particularmente en la pedagogía antroposófica en la sanación. Dibujar formas nos hace conscientes de las conexiones. La repetición continua trabaja sobre nuestro sentido del ritmo, hace que se mueva, es liberador y amplía nuestros horizontes. Dibujar formas geométricas mejora nuestra capacidad de concentración y favorece la percepción lógica y el sentido del orden.

Libros de mandalas para colorear

Existen varios libros de colorear que están a la venta y que contienen diseños de mandalas tanto para adultos como para niños. La mayor parte de ellos están basados en la forma primaria del círculo con un centro del que salen figuras simétricas. Además, contienen todo tipo de formas geométricas y simbólicas: círculos, triángulos, cuadrados, cruces, estrellas, formas de flores y espirales. Algunos de estos mandalas tienen un efecto relajante y otros son más dinámicos. Colorear un libro de mandalas le hablará a la capacidad organizativa y de concentración que hay en tu interior. Si eliges los colores intuitivamente y consideras el proceso de colorear como una meditación, el pensamiento lógico del hemisferio izquierdo de tu cerebro entrará en equilibrio en la medida de lo posible con el hemisferio derecho, el cual está relacionado con el poder de la imaginación, los sueños, la intuición, la creatividad y las emociones. Los adultos con vidas muy ajetreadas o con personalidades caóticas y los niños muy inquietos o hiperactivos pueden regresar a sus propios centros coloreando un mandala. Los contornos de un mandala crean un espacio seguro dentro del cual hay todo tipo de oportunidades para la propia imaginación y la elección del color. Si haces varias copias del dibujo de un mandala antes de colorearlo, cuando las hayas llenado con diferentes combinaciones de colores obtendrás una muestra fascinante.

Mandala geométrico con forma de estrella.

Si colocas un par de estos mandalas uno junto al otro en una secuencia cronológica, verás diferencias y similitudes, así como un proceso de pensamiento y un desarrollo. Los contrastes de color pueden revelar formas y símbolos en el mandala coloreado que no estaban en el dibujo original; estas nuevas formas derivan directamente de tu subconsciente, y cada una de ellas, o cada símbolo, puede tener un significado personal para ti. Eliges un determinado mandala para colorear porque ese diseño en particular tiene algo que decirte en ese momento. Intenta entender por ti mismo los símbolos hacia los que te sientes atraído y qué significado te gustaría darles.

Los mandalas y los niños

Los maestros de jardines de infancia y de primaria o los líderes de grupos de jóvenes pueden experimentar haciendo mandalas grupales de colores. Podrían empezar el día o la semana entregando a cada niño el dibujo de un mandala para colorear. Esto favorecerá un comienzo del día armonioso para cada niño y para el grupo en su totalidad, estimulará la paz interior y asegurará una mayor capacidad de concentración en el trabajo en la escuela. Además, los niños suelen divertirse muchísimo coloreando mandalas y son muy creativos haciendo mandalas espontáneos a partir de un único punto central. Podrías llamar a este ejercicio «ilustrar el punto».

4. Dibujo, pintura, bordado y otras técnicas

Cuando hayas dispuesto un espacio lo suficientemente creativo para ti (un entorno tranquilo, una buena mesa, una silla, una fuente de luz, música agradable, una vela y aceites o inciensos aromáticos) habrás sentado unas buenas bases para comenzar un mandala en un estado de ánimo reflexivo, meditativo y, a la vez, también relajado. Es muy agradable empezar a experimentar primero con lápices, tiza o pintura, para ensayar o «probar» el material. Intenta conseguir una hoja muy grande de papel tipo prensa en una tienda especializada de artículos para bellas artes (o incluso de material de oficina): es barato y no tendrás que preocuparte por estar «desperdiciando» papel. Como ejercicio previo para soltarte, sin pensar que tienes que hacer un mandala, puedes dejar que el lápiz, el pastel o el pincel encuentren su camino por la hoja. Cuando lo hagas, aparecerán espontáneamente por sí solas áreas, rayas y líneas, así como formas caprichosas, círculos, espirales y puntos. Cuando pongas colores encima de zonas que previamente hayas coloreado con lápiz o pastel, estarás entrando en la técnica de la mezcla de colores. Puedes probar a mezclar a modo de ensayo algunos colores distintos en una hoja aparte antes de empezar el mandala definitivo, pero también puedes hacerlo intuitivamente mientras estés ejecutando el mandala para que el elemento sorpresa sea todavía mayor.

El efecto terapéutico de las técnicas de dibujo y de pintura

He aquí algunas ideas para sacar el máximo de tu experiencia creativa:

- Pintar con acuarela sobre papel húmedo, una técnica llamada «mojado sobre mojado», es muy liberadora y espontánea, y favorece la alegría y la valentía.
- Pintar con acuarela sobre papel seco, o pigmentos muy diluidos con agua, utilizando capas, te permite distanciarte de tus emociones, aunque también te induce a tomar conciencia de tus sentimientos. Esta técnica exige mucha paciencia porque es un proceso largo, ya que debes dejar que una capa de color seque antes de poder aplicar la siguiente.
- Dibujar con lápices de colores media entre la línea y el color, y conecta tu vida emocional con la de fantasía.
- Dibujar con pastel, lo cual implica «pintar» trazos secos en grandes áreas, es una aproximación para las personas que no pueden manejar el elemento agua.
- Dibujar con pastel al óleo en una gran superficie hace que la forma adquiera más fuerza. Los movimientos amplios y la presión sobre el material que requiere el pastel al óleo refuerzan la voluntad de la persona.

Consejos prácticos para dibujar mandalas con lápiz, pastel, pastel al óleo y carboncillo

Materiales:

- Tablero de dibujo de 55 x 70 cm.
- Papel blanco de dibujo sin madera de diversos tamaños; papel Ingres (papel para carboncillo que puede

encontrarse en tiendas especializadas en bellas artes) o papel para acuarela; lápices de grafito HB, B2 y B4.

- Lápices de colores o lápices de acuarela (el pigmento se disuelve con el agua; los de Faber-Castell son los mejores), carboncillo, pasteles y pasteles al óleo.
- Regla, compás, goma de borrar, pincel para acuarela, esfumino (normalmente es un rollo apretado de papel gris con forma de lápiz), sacapuntas, cinta adhesiva, chinchetas, trementina, trapo, fijador (puede utilizarse laca para el cabello).

Fija el papel al tablero de dibujo con chinchetas o cinta adhesiva. Comienza el mandala siguiendo tu propia intuición, desde el centro o desde el borde, a mano alzada o dibujando con un compás y una regla. Con los lápices de colores puedes colorear las áreas más pequeñas y dibujar detalles diminutos; también puedes utilizarlos para realizar delineaciones finas entre las zonas de color. Dependiendo de la presión que apliques en la punta, el resultado puede variar desde un color muy intenso a uno muy aguado. Dibujando sobre una área que ya está coloreada con otro tono puedes crear colores combinados en matices que se mezclen unos con otros. Los lápices de acuarela contienen pigmentos solubles en agua, de modo que puedes añadir al dibujo un efecto «lavado» trabajando en la zona coloreada con un pincel de acuarela humedecido. Esto puede hacer que se mezclen colores que estén uno junto al otro; si ésa no es tu intención, tendrás que trabajar con cuidado y posiblemente esperar a que las zonas se sequen. Por otro lado, cuando los colores se extienden pueden aparecer unos efectos excepcionales.

El pastel (también llamado «pastel blando») es muy suave y puedes cubrir grandes áreas con él. También se puede usar para dibujar líneas, pero es menos adecuado para los detalles pequeños. El pastel es un material particularmente agradable para difuminar con los dedos o con el esfumino, para mezclar los colores o añadir toques de luz. Después puedes aplicar encima otras capas o líneas. Los pasteles blandos requieren un tipo de papel un poco más grueso (papel Ingres para carboncillo, por ejemplo, o papel para acuarela) pero el papel de dibujo corriente también sirve. A los mandalas hechos con pastel se les debe aplicar fijador. Incluso cuando todavía no están terminados, fíjalos para poder continuar trabajando más tarde.

Los pasteles al óleo son grasos, blandos y de colores vivos. Puedes usarlos sobre papel de dibujo o sobre papel para acuarela. Se pueden aplicar diversas capas, una sobre otra, y los colores se pueden mezclar. Al igual que con el pastel blando, se pueden conseguir bonitos efectos frotando con los dedos, sobre todo si dejas que los colores se mezclen entre sí. Si frotas una o más zonas de color con un trapo humedecido con un poquito de trementina, crearás el efecto de una pintura.

El carboncillo se elabora tradicionalmente con ramas secas carbonizadas de los serpollos que crecen en los tilos. Es un material que resulta muy útil para esbozar un mandala blanco y negro con movimientos amplios. Conservando el blanco del papel, conectamos con la parte oscura de nuestro interior y obtenemos el control sobre ella. Del mismo modo, permitimos que nuestros aspectos luminosos brillen a través de la oscuridad y «salgan a la luz». Si frotas las áreas y las líneas de carboncillo con los dedos o con el esfumino, puedes conseguir varios tonos entre el negro y un gris muy claro. Para que el carboncillo se adhiera bien al papel también debe ser fijado. Cuando hayas adquirido destreza, puedes probar a combinarlo con los materiales antes mencionados. ¡Atrévete a experimentar!

Consejos prácticos para pintar mandalas con acuarela, témpera (o gouache) y pintura al óleo

Materiales:

- Tablero de madera contrachapada de 55 x 70 cm.
- Tubos de acuarela, témpera o gouache, o pintura al óleo en los colores básicos: rojo carmín, amarillo cadmio y azul cobalto.

- ✐ Papel blanco de dibujo sin madera, papel o bloc para acuarela, papel o lienzo preparados para óleo, papel prensa resistente.
- ✐ Pinceles hechos de pelo de vaca o cerdo: redondos, de tamaños 2, 6, 12 y 16; planos, de tamaños 4, 10 y 14.
- ✐ Compás, regla, lápiz, goma de borrar, sacapuntas, trapo, secador, paleta o tazas para mezclar la pintura, agua, trementina, esparadrapo o cinta adhesiva, esponja, secador de pelo.

Cada uno de los diversos tipos de pintura que menciono aquí crea su propia atmósfera y tendrá un brillo distinto. Tus resultados también dependerán de las técnicas que utilices. Ninguna técnica ni ningún material es mejor que otro para pintar mandalas; el factor determinante serán tus preferencias personales, tu estado de ánimo y tu mentalidad. De modo que, ¡sigue buscando y experimentando! Para pintar intuitiva y espontáneamente se necesitan materiales que creen efectos rápidos y que no tarden en secar. La acuarela y la témpera rebajadas son las más adecuadas para trasladar imágenes con detalles finos y vibraciones instintivas. Los tonos pastel crean una atmósfera liviana, inmaterial, y la pintura transparente aplicada con un pincel seco produce un efecto etéreo.

Para obtener formas definidas y colores expresivos y muy contrastados, la pintura para carteles opaca (como la témpera o el gouache) es muy adecuada y se utiliza en todo tipo de superficies, incluido el papel corriente sin madera. La pintura para carteles puede diluirse ligeramente -o generosamente- y los colores mezclan bien. Puedes cubrir grandes áreas con un pincel ancho y trabajar los detalles más pequeños con un pincel muy fino, como dibujos.

Con la pintura al óleo se puede producir un resultado más permanente y terroso. Está hecha con un material más espeso y pesado que otros tipos de pintura y se utiliza sobre papel o lienzo con una preparación especial. Puesto que tarda mucho en secar (incluso varias semanas, dependiendo del grosor de la capa de pintura), exige mucha paciencia y deliberación durante el proceso de pintar. Se puede diluir con trementina, la cual acorta el tiempo de secado, aunque disminuye la intensidad de los colores.

Para secar la acuarela, empapa una hoja de papel para acuarela con una esponja y luego úsala para retirar el exceso de agua. El papel ya está listo para ser «tensado» en tu tablero de dibujo con cinta adhesiva. De este modo, cuando esté seco y pintes sobre él, no hará globos. También puedes trabajar en blocs de papel de acuarela «listo para usar» directamente, sin esta preparación, pero la obra debe estar completamente seca antes de que retires el papel del bloc cortándolo con un cuchillo.

Para la técnica de pintar por capas, se utilizan acuarelas muy diluidas. En un pequeño recipiente, mezcla una parte de pintura (¡muy poca!) con dos partes de secador, y luego dilúyela más con agua. El secador hará que la capa subyacente de color seque más rápido y no se disuelva cuando pintes otro color encima. La pintura diluida será muy transparente. Puedes conseguir colores más intensos pintando una capa de color sobre el mismo tono. Aparecerán mezclas y gamas de color transparente si se pintan otros colores sobre ella. Pintar por capas es un proceso lento. Para obtener tonos de color más intensos, debes aplicar varias capas, una sobre otra. Si, por ejemplo, quieres que los colores claros estén en el centro del mandala, tendrás que empezar a pintar desde el borde exterior. Capa a capa, el juego de color entre luz y oscuridad irá emergiendo. Intenta evitar crear bordes de color muy marcados. Para acelerar el proceso de secado de la pintura puedes utilizar un secador de pelo. La pintura por capas de color no es una técnica fácil para los principiantes, pero se puede llegar a dominar con la práctica. Al pintar intuitivamente una zona sobre otra, puedes crear formas y colores inesperados. Cuando, por ejemplo, aparece en el mandala repentinamente una estrella, una flor o la forma de un cristal, ése puede ser un momento muy especial.

La técnica de pintura de «mojado sobre mojado» es adecuada para crear rápidamente un mandala con formas grandes, libres y coloreadas, sin contornos ni detalles muy marcados. Coloca una hoja de papel prensa sobre un tablero sintético de dibujo y mójalo generosamente con una esponja. Cuando el papel esté saturado, quita el exceso de agua con una esponja seca. No deberían aparecer ampollas pequeñas bajo el papel. Utiliza acuarelas diluidas sobre el papel húmedo; eso hace que los colores fluyan unos hacia otros y, así, se mezclen de una forma casi inmediata. La pieza debe secar bien para que puedas apreciar verdaderos matices de color. Esta técnica tiene un efecto muy relajante. Después de un día agotador, es maravilloso dejar que todo tu cuerpo se distienda realizando este tipo de pintura. Si quieres que tu mandala tenga un fondo suave y difuminado, puedes conseguirlo aplicando la técnica de mojado sobre mojado utilizando el color o colores deseados. Cuando el papel haya secado, puedes seguir construyendo el mandala y pintar los detalles con témperas.

Consejos prácticos para bordar un mandala

Materiales:

- Un trozo de tela para bordado, en la que se puedan contar las hebras, que mida unos 50 x 50 cm (estopilla, lino grueso o doble hebra de calibre fino). Asegúrate de que la tela tenga el mismo número de hebras por centímetro de izquierda a derecha y de arriba abajo; si no, el mandala será ovalado en lugar de redondo.
- Entre 6 y 12 colores de hilos de algodón de 6 hebras, como el que fabrica la marca de hilos DMC (www.dmc-usa.com), que tiene colores resistentes.
- Aguja de bordado, tijeras, lupa y bastidor o aro para bordar (opcional).

Bordar un mandala es un proceso fascinante y prolongado. Según el tamaño, pueden transcurrir fácilmente varias semanas o varios meses antes de que esté terminado. Este procedimiento requiere paciencia y reflexión, simplemente porque, a diferencia del dibujo o la pintura, no es posible trabajar con mayor rapidez.

La mayor duración del proceso y su naturaleza relajante fomentan un estado mental introspectivo. Los pensamientos van y vienen mientras el hilo y la aguja buscan su propio camino. Entre tanto, ves aparecer tu hilo de color en el mandala. Al introducir la aguja y tirar de ella, atraviesas la tela, la materia; de esta manera, el bordado afecta a la persona en su totalidad. Nos hace tener los pies en la tierra. Si dejas que el mandala emerja desde el centro, surgirá el centro de tu propio ser.

Ejemplo de la construcción esquemática de un mandala bordado intuitivamente.

Al ver este centro, que es un espejo para ti, regresas a tu propio centro, a tu ser interior. El mandala se convierte en el lienzo sobre el que puedes bordar. Tu propio diseño, tu propio mapa, cobrará vida. Si vemos el trozo de tela como si fuera una materia terrosa, antes de que empieces a bordar la energía femenina todavía está vacía y virgen. Con la aparición de la aguja y el hilo como símbolos de la energía masculina, el lienzo es fertilizado y cobra vida. De este modo, te vas conociendo y puedes empezar a decir «Yo». Si además optas por el punto cruz para tu bordado, el hecho de considerar la forma de la cruz como símbolo de la persona equilibrada y total le añade otra dimensión.

Para bordar intuitivamente un mandala que sea simétrico por los cuatro lados, lo mejor es usar el punto cruz en una tela en la que se puedan contar las hebras. Este tipo de tela se vende en varios colores, pero para empezar te recomiendo que utilices tela de algodón o lino de color blanco o crudo. Ubica el punto central intuitivamente, o dobla la tela por la mitad dos veces para determinar dónde se encuentra. Limita tu elección de los colores de los hilos a los 6 que más te gusten. Toma un hilo de 50 cm de largo y divídelo para trabajar con hilos de 2 o 3 hebras, dependiendo del tamaño de la malla. Cuanto más fina sea, más vivo y expresivo será el mandala y los colores serán aún más vívidos.

En una esquina en la parte inferior de la tela para bordar haz una pequeña prueba para determinar el tamaño que deberían tener los puntos de cruz y cuántas hebras de la tela deben usarse para cada uno. Puedes usar el punto de muestra para indicar el «sur» del mandala y, de ese modo, al acabar sabrás cuál es la parte inferior y cuál la superior. Haz un dobladillo a la tela para evitar deshilachar los bordes mientras trabajas.

Borda la primera cruz en el centro, pero no hagas un nudo en el hilo. Deja un poco de hilo colgando por detrás; ya lo acabarás más tarde. Partiendo del centro, simplemente sigue a la aguja adonde ella quiera ir para hacer las siguientes cruces. Imagina que aparecen 6 cruces (aproximadamente) hacia la izquierda y luego repite la idea hacia la derecha, hacia arriba y hacia abajo. Ahora tienes una forma de cruz como base para el resto del mandala. Sin embargo, podría ocurrir que bordaras una forma caprichosa saliendo del punto central. Ésta también tendría que repetirse una vez en cada dirección. A partir de esta forma básica, puedes continuar trabajando con otros colores elegidos intuitivamente. Así, seguirán apareciendo nuevas combinaciones. Asegúrate de ajustar cada punto firmemente a la parte posterior del bordado haciendo pasar el hilo en zigzag un par de veces por los puntos ya existentes; así es como se hace el «acabado». Es posible que te hayan enseñado que todos los puntos de cruz se tienen que bordar cuidadosamente en la misma dirección. Cuando uno está haciendo un mandala, esto queda muy bien, pero tener que estar pensando en ello continuamente puede estorbar tu proceso de reflexión. Obviamente, las personas que no podemos tolerar las cruces desiguales, podemos trabajar según las reglas del oficio, o podemos preguntarnos por qué estamos tan apegados a la pulcritud y las pequeñas reglas.

Inicialmente, el centro del mandala se hará rápidamente visible y el juego de colores te motivará a elegir otros y a hacer nuevas formas. A menudo, uno se sorprende al ver aparecer inesperadamente figuras reconocibles en el mandala. Esto revela que el subconsciente ha estado trabajando «a todo vapor» y lo está compartiendo con la mente consciente por medio de una representación simbólica.

Aquellos que quieran introducir uno o más círculos en el mandala pueden hacerlo siguiendo a la aguja o calculando cuántas cruces consecutivas hay que bordar para conseguir una curva pura. Esto puede representar un gran desafío, pero también crear muchos problemas innecesarios. Al margen de la creación intuitiva del mandala, en un caso así lo más inteligente es trazar un círculo con un compás, o con un lápiz alrededor de una taza, para más sencillez.

Aparte del punto de cruz que acabo de describir, existe todo un abanico de técnicas de bordado que puedes aplicar en un tejido uniforme o en otras telas. No hay que bordar únicamente en punto de cruz, aunque esta técnica parece ser la más adecuada para empezar. Los puntos de cruz son fáciles de contar y garantizan la simetría cuando se repite la forma. Puedes utilizar los mismos principios básicos para hacer un mandala cuando estés bordando con otro punto. Hay una gran libertad para crear determinadas formas y áreas mediante la combinación de diferentes puntos. Algunos de los puntos útiles para un bordado libre son: punto cruzado en «V», punto llano, punto tallo, punto cadeneta, punto de tapiz, punto escapulario, punto concha, y punto hilvanado. También puedes bordar cuentas en tu mandala.

Otros materiales y técnicas para hacer mandalas

Aparte del dibujo, la pintura y el bordado, existen muchas otras técnicas y materiales para hacer mandalas. Describiré brevemente algunas de estas posibilidades. Puedes encontrar una amplia información sobre la mayoría de estas técnicas en la biblioteca, la librería o la tienda de manualidades de tu barrio.

En la descripción de todas estas técnicas, doy por sentado que trabajarás con los principios básicos del mandala (círculo, centro, simetría y división en cuatro). Aquí también puedes trabajar intuitivamente partiendo desde el centro o bien realizar un diseño (posiblemente a pequeña escala sobre papel) con un compás y una regla.

Mandala con encaje de aplicación

El encaje de aplicación es una técnica textil mediante la cual se cortan trozos de tela en todo tipo de formas y se cosen a mano o a máquina sobre un fondo de tela resistente. Las posibilidades de expresión aumentan si coses los trozos a mano con una variedad de puntos visibles, decorativos. Puedes recortar las formas a mano o con ayuda de plantillas, y puedes dibujar las formas sobre la tela con un lápiz de costura.

Mandala de *patchwork*

Este mandala está hecho de pequeños retazos de tela cortados con formas geométricas, distribuidos y combinados como un mosaico, que se unen cosiéndolos a mano o a máquina. Las formas más usadas son el triángulo, el cuadrado, el diamante, el pentágono, el hexágono y el octágono.

Primero se hacen unas plantillas de cartón fino para que todas las piezas de tela de la misma forma tengan el mismo tamaño. Se coloca la plantilla sobre la tela y se corta la tela un centímetro más grande que la plantilla. Manteniendo la plantilla sobre la tela, se unen los bordes sobrantes con alfileres o con punto de hilvanar, después de lo cual se cosen las piezas de tela exactamente donde se unen los bordes, utilizando un punto pequeño. A continuación, se retiran las plantillas.

Las telas de colores vivos, con estampados de flores y rayas, combinadas con telas de colores sólidos es lo que queda mejor al unir los pedazos de tela en determinados diseños dentro de una composición, lo cual forma un conjunto armonioso. Cuando la pieza esté acabada, cósele una tela a la parte posterior, si es posible poniendo una capa de franela o fibra de algodón intercalada. Todo esto puede hacerse a mano o a máquina siguiendo las costuras o un diseño creado por ti. Así es como se hacen las mantas de *patchwork* americano. Esta técnica también puede practicarse sobre papel, con formas recortadas, o rasgadas, o con formas de *origami* pegadas sobre un fondo de cartón resistente.

Mandala de collage

Para el collage puedes usar casi cualquier material, el cual se pegará sobre un fondo resistente (cartón grueso o madera contrachapada) con pegamento de contacto o cola corriente. Puedes hacer un mandala con un collage de flores y hojas secas; de judías, frutos secos y semillas de varios colores y tamaños; de tesoros encontrados en la playa o en el bosque; de tiras de papel de colores o virutas de madera; de rafia o de paja; de hilos de algodón de colores, etc. También puedes combinar éstos u otros materiales.

Mandala transparente

Un mandala transparente hecho de papel de seda de colores pegados sobre papel de calco con gelatina o una barra de pegamento queda muy divertido colgado delante de una ventana. Usando diferentes colores o pegando un par de capas del mismo color puedes producir un efecto como las capas de acuarela. Para conseguir unos resultados más finos, utiliza un papel de seda más claro. Puedes colocar la pieza acabada sobre una esterilla o bien colgarlo con hilo de pescar, o pegarlo a una ventana con cinta adhesiva de doble cara.

Mandala de arcilla

Por su consistencia primitiva, húmeda y terrosa, la arcilla puede hacer emerger sentimientos que se encuentran en lo más profundo de ti.

Como preparación para hacer un mandala moldeado, amasa la arcilla concienzudamente y crea un par de formas geométricas tridimensionales (por ejemplo, una esfera, un cubo, un cono, una pirámide, una serpiente). Siente cómo una forma se convierte en otra mediante la presión de tus manos y tus dedos. A partir de estas formas cerradas, puedes crear otras que sean más abiertas presionando con tus pulgares para que adquieran la forma de un cuenco. En ocasiones, sentirás inmediatamente el impulso de hacer que también crezca tridimensionalmente, haciendo que el mandala empiece a tener la apariencia de una torre que, vista desde arriba, exhibe la famosa simetría.

También se puede «dibujar» un mandala sobre una plancha de arcilla redonda y plana utilizando un objeto puntiagudo. Los pequeños bordes afilados que aparezcan pueden suavizarse con un dedo humedecido en agua. Cuando hagas un mandala de arcilla, puedes simplemente dejarlo secar o cocerlo en un horno especial. Puedes dejar que conserve su color original grisáceo o rojizo, o bien esmaltarlo, pintarlo o barnizarlo con diversos colores.

Más opciones para hacer mandalas

Hay un número infinito de variaciones de materiales y técnicas para crear mandalas. No hay más que ver las piezas tejidas, hechas a ganchillo, o de puntilla, de la época de la abuela. Estas técnicas artesanales todavía están en uso. Continuamente encontramos ejemplos de ello en las revistas de manualidades. Otras posibilidades son, por ejemplo, el telar, el trabajo con cuentas, el macramé o el anudado, las alfombras, la pintura sobre seda, los pañitos de «encaje» de papel recortado, los mosaicos de yeso, la talla en madera y la metalistería. También se puede hacer un jardín de hierbas con forma de mandala, o crear una terraza-mandala con una combinación de baldosas, ladrillos y adoquines.

Los pasteles, las ensaladas y los arreglos florales también pueden funcionar muy bien como mandalas. Por último, puedes usar una pizarra Etch-a-Sketch, o un ordenador para dibujar o crear mandalas sencillos y complicados con fotomontajes; incluso existen programas informáticos especiales para hacer mandalas y fractales.

Toques finales y presentación

En primer lugar, debes aplicar un fijador (o laca para el pelo) a los dibujos realizados con pastel y con carboncillo para que no se manchen. Si utilizas témperas (las cuales tienen un acabado opaco al secar) y quieres darles un efecto más vivo y brillante, puedes darle una capa de barniz para carteles a tu mandala. Si éste está hecho con pintura al óleo, debes dejar que se seque durante varias semanas antes de barnizarlo. Cuando lo hagas, el barniz hará que los colores sean más intensos.

Cuando uno borda un mandala, lo manipula durante semanas o meses, por lo que es posible que acabe un poco sucio. Lávalo en agua tibia con detergente para prendas delicadas. No lo exprimas; colócalo entre dos toallas, enróllalas y apriétalas, y luego déjalo secar en un tendedero o algo parecido. Cuando esté seco, plánchalo por la parte posterior, colocando una tela húmeda entre la plancha y el mandala. Cose los bordes pulcramente, a mano o con la máquina. Asegúrate de que todos los hilos de la parte posterior de tu pieza están asegurados.

Tendrás que decidir qué tipo de sistema de colgado o enmarcado es el más adecuado para cada mandala. Existen marcos de plexiglás y de vidrio tradicional de diversos tamaños, pero deberías fijarte en que el cristal no sea reflejante, ya que esto le restaría viveza a la obra. Un mandala es más vistoso cuando está montado en un marco de madera neutra, con o sin cristal, de manera que la atención va hacia el centro y no hacia los bordes. También puedes colocarlo sobre una esterilla cuadrada o redonda, dentro de un marco. La esterilla puede ser de un color neutro o de uno que aparezca con frecuencia en el mandala, pero también se puede conseguir un bonito efecto utilizando un color complementario. Un mandala bordado o de encaje de aplicación puede enmarcarse o montarse doblando los bordes del lienzo alrededor de un trozo de madera contrachapada y ajustándolo en la parte posterior con chinchetas o grapas. La madera tendrá que ser un poco más pequeña que el borde exterior del mandala.

Y ahora, ¿qué hago con mi mandala?

El mandala se tiene que ver, de modo que, evidentemente, lo que se debe hacer es colgarlo en un punto visible. Si has hecho varios, puedes intercambiarlos, dependiendo de tu estado de ánimo, de tu desarrollo o de la estación del año. Puedes organizar exposiciones de mandalas hechos por una o más personas. Los dibujos y pinturas de mandalas que no estén enmarcados pueden guardarse en carpetas resistentes. También puedes hacer fotocopias a color, para regalar reproducciones de tu mandala.

Asimismo, puedes estampar una copia del mandala sobre algún material o en una camiseta, por ejemplo. Es divertido enviar fotos de mandalas impresas o pegadas en una postal, en una tarjeta de saludo, de cumpleaños, o simplemente como una nota personal. Obviamente, le puedes regalar a alguien un mandala original. En tal caso, este gesto tendrá un valor emocional especial, ya que tus vibraciones estarán entretejidas para siempre en él.

5. El simbolismo en los mandalas

No hay descripciones rígidas de los colores, las formas y los símbolos que suelen aparecer en los mandalas. La interpretación depende siempre de la percepción personal de quien ha hecho el mandala o lo está contemplando, y también está influida por su estado de ánimo. Además, la propia educación y condición psicológica de la persona, su formación cultural y sus áreas de interés ejercen una influencia muy importante. Los símbolos personales hacen referencia a la etapa de desarrollo del creador; presentan una imagen de la situación y son un espejo de la personalidad, el alma o el Yo. Los arquetipos, o símbolos primarios, son ligeramente más estables en su significado, pero éste también puede variar de una cultura a otra, y de un siglo a otro.

Más adelante, en este capítulo, exploraré una serie de colores, formas, números y símbolos que aparecen con frecuencia en los mandalas. Los significados que les he asignado son sólo sugerencias y representan mi esfuerzo por llegar a una interpretación personal a través de la asociación. Al analizar un mandala, es importante hacer una interpretación personal de los símbolos o del color antes de consultar las explicaciones de otros libros.

Pongamos como ejemplo la serpiente, simplemente para descubrir qué significados simbólicos se ocultan tras esta figura. En los libros sobre símbolos, de inmediato queda claro que tiene varios significados contradictorios. Por un lado aparece como símbolo del mal, del pecado original, de la muerte y el inframundo y, por otro, como un símbolo de la renovación de la vida, debido a que cambia de piel. Los principios del renacimiento y la sanación aparecen, entre otras, en la forma de la serpiente atribuida al dios griego de la sanación, Asclepios (Escolapio es el dios romano), cuyo símbolo de una serpiente alrededor del bastón esculapio todavía es utilizado como emblema por la profesión médica.

El concepto indio de kundalini (la fuerza primaria que, en la mayoría de la gente, «está dormida» en el primer chakra, en la base de la columna vertebral) está representado por una serpiente enroscada. En un mandala personal, este animal puede aparecer bajo muchas formas y tener diversos significados. ¿Se trata de un gusano inofensivo y útil que hace que la tierra esté ventilada y sea fértil? ¿Es una serpiente venenosa (¿en qué hierba?) o una enorme constrictor tropical? ¿Se puede interpretar a la serpiente como un símbolo de sexualidad masculina, o es una de las formas que adquiere Gea, la diosa de la Tierra? ¿Es una serpiente que se muerde su propia cola, el Ouroboros, señal de que en cada final hay un nuevo principio, que simboliza el ciclo de muerte y renacimiento, las estaciones y las eras? En pocas palabras, el símbolo de la serpiente contiene una gran variedad de posibilidades, significados e interpretaciones, ¡y tiene algo para cada uno de nosotros!

La serpiente también debería considerarse en relación con el color y su interconexión con los otros símbolos que conforman el mandala. Todas las formas y símbolos se analizan de este modo para hallar el valor personal que tienen para su creador. El color, la forma o el símbolo que se encuentra en el centro nos proporciona el significado fundamental de todo el mandala, reflejando también el estado de ánimo o el símbolo primario básicos de su creador en ese momento. La mitad superior del mandala simboliza el proceso consciente del alma y la mitad inferior el del inconsciente. El «ecuador» es el umbral entre la mente consciente y la inconsciente. En ocasiones, la transición entre los procesos conscientes e inconscientes está indicada por las variaciones en el color. En general, en los colores utilizados en todo el mandala se puede buscar, no sólo los simbolismos, sino también la fuerza. Por ejemplo, las emociones fuertes normalmente estarán representadas por colores aplicados con pintura espesa, mientras que un color plasmado en capas muy delgadas podría indicar poca autoestima, cansancio, tristeza o bien un estado mental introspectivo.

Si un mandala está hecho de una forma puramente intuitiva, sin símbolos reconocibles, pero con formas abstractas, estas formas pueden decirnos mucho acerca del estado de ánimo de su creador a través del contexto y el color. Estas formas abstractas no siempre se interpretan partiendo de una lista de símbolos. Con frecuencia, su creador percibirá o sabrá intuitivamente lo que expresan. El pintor Wassily Kandinsky señala que, cuanto más se inclina la forma hacia lo abstracto, más puro, primitivo y arcaico será el tono. Cada forma es tan sensible como un hilo de humo: el mínimo movimiento la cambiará esencialmente. El arte popular de muchas culturas exhibe un tipo de abstracción primaria que parece simultáneamente primitiva y sofisticada debido a las dimensiones cósmicas que irradian a través de ella; de hecho, un mandala puede resumirse también así. Al ver la imagen de cada forma individual en la de todas y cada una de las formas que hacen que un mandala sea un mandala, emerge una totalidad mayor que la suma de todas sus partes (una imagen *gestalt*).

El simbolismo de las formas

Alas: Las alas simbolizan la libertad, la superación, el movimiento, el viento y los pensamientos. Éstos son los atributos de los dioses, los ángeles, los seres sobrenaturales y las criaturas de las fábulas (Pegaso, la serpiente alada, el dragón, Garuda).

Motivo moderno para cerámica de los nativos americanos.

En una variedad de culturas, el símbolo del dios Sol es un sol alado. Las hadas, los elfos y los duendes pueden tener alas, al igual que los demonios.

Ancla: El ancla es, tradicionalmente, el símbolo de los dioses del mar. Ofrece estabilidad, seguridad, fe y esperanza. En los tiempos de los primeros cristianos se la consideraba un símbolo de la salvación debido a su forma de cruz.

Animales: Los animales simbolizan los aspectos inconscientes y las pasiones de la psique humana. Si un determinado animal aparece en un mandala, ello significa que hay una conexión, consciente o no, con las características de dicho animal, el cual representa un importante retrato simbólico de nuestra personalidad y nuestro comportamiento. Los siguientes animales, o las reproducciones estilísticas de ellos que aparecen en los mandalas, incluyen a:

Gato: La diosa egipcia Bast, criatura de la noche, voluntariosa, sigue su propio camino.

Vaca: Símbolo de la Madre Tierra, maternal, nutritiva, sus cuernos indican una conexión con la Luna.

Perro: Obediente amigo de los humanos, guardián y guía para los muertos en el más allá; por ejemplo, el dios egipcio Anubis.

Elefante: El dios hindú Ganesh, dios del oficio de escribir y la sabiduría, poder dormido, no agresivo.

Caballo: Animal noble, posee poderes mágicos en los cuentos de hadas, trabaja junto a su jinete humano.

León: Gobernante, rey de los animales, símbolo solar, representa la energía que se acumula.

Árbol: El árbol tiene sus raíces en la tierra y sus ramas se elevan hacia el cosmos. Por lo tanto, es un símbolo del principio de la vida que todo lo abarca. Aparece como el Árbol de la Vida en la Cábala y en el arte popular. En los antiguos mitos, el árbol era visto como el eje del mundo alrededor del cual se dispone el cosmos, incluido el Yggdrasil, el árbol cósmico de hoja perenne de las antiguas leyendas nórdicas del Elder Edda. Los árboles tradicionalmente sagrados para los druidas celtas incluyen al roble, el aliso, el sauce y el espino blanco. En muchas regiones de Europa, todavía se mantiene la tradición pagana de bailar alrededor del mayo como ritual de fertilidad. Desde un punto de vista psicológico, el árbol puede ser una expresión del creador. En ese caso, se debería estudiar su aspecto: ¿Tiene hojas?; ¿es un árbol joven o viejo?; ¿cómo están distribuidas las ramas?; ¿es un árbol recto o torcido?; ¿tiene flores o frutos?

Arco iris: El arco iris simboliza el puente entre el mundo y el paraíso, y es el trono del dios del cielo en la mitología. La diosa griega Iris, mensajero alado de los dioses, representa el arco iris. Muchas culturas tienen una diosa del arco iris que adopta la forma de una serpiente. El folclore europeo promete un recipiente lleno de oro al final del arco iris. Nuestra enseñanza del color se basa en sus 7 colores. El arco iris alude a la totalidad, la transformación y la sanación, y a los 7 pasos de la conciencia. Los colores del arco iris se correlacionan con los colores de los 7 chakras.

Ave: En casi todas las culturas, el ave es la mensajera de los dioses y el símbolo del alma que ha pasado a la otra vida. Además, las aves están asociadas a los pensamientos, la imaginación y la sabiduría.

Cadena: La cadena simboliza la unión o la solidaridad, así como la esclavitud: ¿a qué personas o situaciones nos sentimos unidos y a cuáles nos sentimos encadenados? ¿Necesitamos cambiar algo de eso, o somos muy felices al respecto?

Círculo: El círculo, junto con el cuadrado y el triángulo, es el símbolo geométrico más significativo y extendido. Un círculo con un punto en el centro simboliza el Sol, a Dios, el oro y la Luna llena. En tradiciones ocultas como la Wicca, el círculo ofrece protección mágica. En el budismo zen, el círculo vacío simboliza la iluminación, lo cual, de hecho, hace referencia a la energía primaria femenina. En los círculos que contienen un punto se revela la energía primaria masculina. El círculo con un punto, por lo tanto, expresa la unidad de lo masculino y lo femenino, la totalidad cósmica, el mandala primitivo.

Copa: El Santo Grial es la copa a la que fluyó la sangre de Cristo cuando lo hirieron en un costado con una lanza. Visto desde esta perspectiva, el Grial contiene el elixir de la vida. Para los antiguos celtas, la copa, que a veces también se representa como una olla (el llamado caldero de las brujas), es un símbolo del útero y, por ende, de la fertilidad. Desde un punto de vista psicológico, el Grial representa el centro sagrado de la persona. La búsqueda del Santo Grial, que se popularizó en las historias sobre el legendario rey Arturo y el héroe Percival, es la búsqueda de las fuentes espirituales de los humanos y el cosmos, y de un regreso a un estado de inocencia (el paraíso). El símbolo de la copa está relacionado con el del cuenco y la medialuna.

Corazón: El corazón simboliza prácticamente los mismos valores en casi todas las culturas que conocemos. En el caso de los mandalas se asocia con valores como el amor, la sabiduría, la unión relacional y también con la alegría de vivir.

Corona: La corona es el símbolo real de la alta estima. La corona de oro representa al Sol. La corona asiática con forma de flor es un signo de desarrollo espiritual superior. La corona cristiana de espinas simboliza el sufrimiento por una causa superior.

Cruz: La cruz, al igual que el círculo y el triángulo, es un símbolo que aparece en todas las culturas. La cruz con cuatro brazos igualmente largos hace referencia a la persona erguida con los brazos extendidos, a las cuatro estaciones y a los cuatro puntos cardinales. La forma de la cruz representa también la unificación de lo masculino (vertical) y lo femenino (horizontal). Es la forma básica de muchas iglesias y templos. Las cruces aparecen con muchas variantes: el crucifijo (cruz con figura de Cristo), la cruz egipcia, la cruz de san Antonio, la cruz de san Andrés, la esvástica, etc.

Cruz egipcia: La cruz egipcia forma un lazo en la parte superior, es una cruz colgante (*cruz ansata*) del antiguo Egipto. Es un símbolo de la eternidad de la vida y también de la vida después de la muerte física. Es la expresión de la persona erguida con los brazos extendidos. Al tener un círculo en la parte superior y una cruz en la parte inferior, la cruz egipcia simboliza asimismo la unificación de los principios femenino y masculino, representados por Isis y Osiris.

Cuadrado: El cuadrado representa la vida terrenal, la materia telúrica, la estabilidad, el orden, el pensamiento racional, el equilibrio entre las cuatro estaciones y los cuatro puntos cardinales.

Motivo de la India del siglo XV que representa los cuatro puntos cardinales.

En los mandalas, el cuadrado aparece con frecuencia en combinación con el círculo (cuadrar el círculo), armonizando lo terrenal y lo cósmico. Un cuadrado que está inclinado 45 grados y superpuesto sobre otro cuadrado forma una estrella de 8 puntas. El cuadrado recto simboliza la estabilidad o una paralización, mientras que el cuadrado ladeado indica movimiento.

Cuenco: El cuenco representa el mismo simbolismo que la copa, el Grial o la medialuna. Se trata de un símbolo de la fertilidad femenina como un útero con forma de cuenco, el principio receptivo.

Chakras: Los chakras son centros de energía espiritual y psíquica en el cuerpo humano, visualizados como ruedas o lotos. Tienen un papel importante en la obtención de una comprensión espiritual y en la salud física y mental. Se puede hacer un mandala para cada chakra. Si ésa es tu intención, es una buena idea que te concentres en el chakra implicado antes y durante la creación del mandala, y que intentes sentirlo a fondo (mediante un ligero cosquilleo en la piel en el lugar donde está ubicado). Quizá necesites práctica para sentir tus chakras. En el mandala pueden aparecer desviaciones de las siguientes descripciones de los colores de los chakras, lo cual indicaría un chakra bloqueado. Es importante que utilices ese color en el mandala de todos modos. Cuanto más profundamente se conecte una persona con el chakra, más permitirá éste que se exprese su color definitivo (en definitiva, el propio color personal) en el mandala. A continuación ofrezco una breve visión general de las características de los 7 chakras:

- **El chakra base** (color rojo, un loto de 4 pétalos). Necesidad de seguridad, supervivencia, estar arraigado, la tierra. La conciencia del cuerpo está alojada aquí.
- **El chakra sacro** (color naranja, un loto de 6 pétalos). Aquí residen nuestra sexualidad, el deseo de pertenecer a un grupo y la capacidad de establecer relaciones personales.
- **El chakra del plexo solar** (color amarillo, un loto de 10 pétalos). Este chakra contiene nuestra seguridad en nosotros mismos, nuestro poder, nuestra energía y nuestras emociones más profundas.
- **El chakra del corazón** (color verde, un loto con 12 pétalos). Éste es el chakra del amor incondicional, la compasión y el altruismo.
- **El chakra de la garganta** (color azul, un loto con 16 pétalos). Este chakra es responsable de la creatividad, el cantar, el hablar y escuchar a nuestro interior.
- **El chakra de la frente** (color índigo, loto de 2 pétalos). Aquí se ubica el tercer ojo; es el chakra de la clarividencia, la intuición y la introspección.
- **El chakra de la coronilla** (color violeta o blanco, un loto con mil pétalos). Con este chakra sentimos una conexión mística con lo cósmico, la iluminación, la no dualidad y el éxtasis.

ELEMENTOS: Los 4 elementos, tierra, aire, fuego y agua, son muy conocidos por todos, pero a menudo se añade también el éter como quinto elemento.

- **Tierra:** El elemento tierra tiene como símbolo la cruz dentro del círculo, un cuadrado amarillo, o bien un triángulo marrón, negro o amarillo que apunta hacia abajo con otro triángulo dentro de su vértice inferior. Este elemento representa a la Madre Tierra (Urd, Artha, Edda, Terra, Gea, Deméter) y los valores femeninos de yin, alma, estabilidad y pasividad.
- **Aire:** El elemento aire tiene como símbolo un círculo azul claro o dorado con un punto en el centro, o un triángulo azul que apunta hacia arriba con otro triángulo dentro de su vértice superior. Este elemento representa al Padre Cielo (Zeus) y los valores masculinos de yang, mente, aliento, viento, movilidad y actividad.
- **Fuego:** El elemento fuego tiene como símbolo un triángulo rojo que apunta hacia arriba, o las llamas. Es el único elemento que los humanos pueden producir, y representa la energía vital. Calienta, consume, ilumina y aclara, destruye, purifica y transforma. Es el símbolo del Sol, la pirámide, y es masculino, yang y activo.
- **Agua:** El elemento agua tiene como símbolo un triángulo azul-verde que apunta hacia abajo, las líneas onduladas o una medialuna recostada, plateada. Este elemento representa el agua de la vida, la fuente, el bautismo y la purificación. Como símbolo de la Gran Madre, alude a la fertilidad femenina. El agua también se ve como una fuente, el inconsciente, los sentimientos y las emociones, lo femenino, yin y pasivo.
- **Éter:** El elemento éter tiene como símbolo un óvalo violeta o un círculo dividido en 6 triángulos que convergen en el centro. El éter es un elemento trascendental que aparece en la intersección de los 4 elementos antes mencionados como el ser eterno, la piedra filosofal de los alquimistas y la rosa o el loto de 5 pétalos. Representa la mente pura, es sumamente móvil y aparece como el campo de fuerza etérico del aura que rodea a las formas materiales.

Espiral: La espiral simboliza la vida y la muerte, la expansión y la vuelta hacia el interior. El movimiento que representa se hace visible en un torbellino, un ciclón, un laberinto y en los trayectos del Sol y la Luna. Además, la espiral hace referencia al crecimiento psíquico. Una espiral que gira en el sentido de las agujas del reloj puede aludir a algo en el inconsciente que quiere manifestarse; si gira en el sentido contrario, se refiere al centro de uno mismo o el inconsciente.

Espada: La espada es un símbolo masculino de la fuerza vital. Representa el liderazgo, la justicia y la valentía. Se trata de un símbolo fálico, y la funda es su equivalente femenino. La espada del rey Arturo se llamaba Excálibur y poseía poderes mágicos; la de Damocles significaba un peligro inminente. La espada es también el arma del arcángel Miguel y el símbolo de la guerra del dios Marte.

Estrella: La estrella simboliza la conexión con las diosas estelares como Astarté, Ester, Ishtar, Inanna, María o Venus como estrella matinal o vespertina (el planeta Venus). Después de su muerte, los faraones egipcios eran identificados con la Estrella Polar. Las estrellas normalmente simbolizan el orden cósmico y en ocasiones pueden representar también al alma. Véanse también *pentalfa* y *hexagrama*.

Esvástica: La esvástica es una cruz de 4 brazos o una cruz con los brazos doblados en la misma dirección en sus extremos. Aparece en muchas culturas como un símbolo sagrado que trae la felicidad y representa el camino del Sol o la Luna. Si los brazos giran en el sentido de las agujas del reloj, se ve como un símbolo del Sol o principio masculino, y si giran en el sentido contrario representa la Luna o el principio femenino. Actualmente, la esvástica tiene una connotación negativa por haber sido usada como símbolo nazi.

Falo: El falo representa el símbolo de la fertilidad masculina, el fluir masculino de la vida, el potencial y el poder creador. Es un símbolo del principio penetrante y aparece, por ejemplo, en forma de obelisco, espada, bastón, pez o pilar.

Fénix: El fénix es un ave mítica, similar a la grulla o a la garza, que en ocasiones es representada como una explosión solar con cuernos y alas. Después de quemarse, el fénix vuelve a surgir de sus propias cenizas y, por lo tanto, simboliza la inmortalidad y el renacimiento, la transformación, la renovación y la resurrección.

Flecha: Las flechas van hacia un objetivo. ¿Hacia qué meta nos encaminamos y qué dirección queremos tomar? Por la mitología, sabemos algo acerca de la flecha de Cupido (dios del amor). Debido a su forma, la flecha es un símbolo masculino y está conectada con Marte (considera el símbolo astrológico de Marte y el de «hombre»: ♂), el dios de la guerra.

Flores: Las flores simbolizan la vida joven, el Sol, la Tierra o el centro. Son una expresión de la fuerza vital, la alegría de vivir y la fertilidad. En los mandalas, pueden distinguirse los siguientes tipos de flores:

- **Flor de lis:** El símbolo de la Virgen María durante la Edad Media.
- **Lirio:** Representa el amor virginal, la pureza.
- **Loto:** En Oriente es un símbolo de la iluminación mística suprema; en el antiguo Egipto representaba al dios Sol; en general, es un símbolo de fertilidad.
- **Flor de melocotonero:** Símbolo de inmortalidad.
- **Rosa:** Generalmente conocida por su significado de amor eterno; también representa el renacimiento.
- **Cardo:** Simboliza el sufrimiento de Cristo.
- **Violeta:** Se considera un heraldo de la primavera y un emblema de la humildad.

Gota: En los mandalas, las gotas pueden tener diversos significados, dependiendo del color y la cantidad. Además, el estado de ánimo básico del creador del mandala determinará si las gotas que aparecen son de lluvia, rocío o sangre, o si son lágrimas de alegría o de tristeza. Las gotas pueden hacer referencia a la purificación, la fertilidad, el asombro o a un ritual sagrado.

HEXAGRAMA: Está formado por 2 triángulos que se superponen y que simbolizan la armonía entre las energías masculina y femenina. La estrella de 6 puntas, también conocida como el sello de Salomón o la estrella de David, es un hexagrama. Los símbolos del libro chino de los oráculos, el I Ching, también se denominan hexagramas. En este caso, están hechos de diferentes combinaciones de 6 líneas horizontales enteras (yang) o partidas (yin).

HUEVO: El huevo, como el «huevo del mundo», simboliza la energía de la vida, la fertilidad, la nueva vida y la resurrección.

LABERINTO: El laberinto aparece en muchas culturas, particularmente como un camino de iniciación para quienes buscan el centro, su propio núcleo.

Laberinto en el suelo de la catedral de Chartres.

Los jardines de rosas y de hierbas se hacen a menudo con forma de laberinto. En el interior de la catedral de Chartres se construyó un laberinto muy famoso. En la mitología griega existía el laberinto de Creta, el cual albergaba al monstruoso Minotauro. La doncella Ariadna ayudó a matarlo entregando a Teseo el hilo que le señaló el camino para salir del laberinto.

LAZO: El lazo también simboliza la unión y la solidaridad. Cuando pienses en este símbolo, pregúntate qué es lo que necesita ser anudado o aflojado. El lazo infinito o lazo místico (el lazo mágico en el folclore holandés) trae buena suerte.

LEMNISCATA: Una lemniscata es una figura yacente similar a un 8, símbolo del infinito. También simboliza la unificación del Sol y la Luna y la unificación sexual de lo masculino y lo femenino.

LUNA: Muchas diosas están simbolizadas por la Luna (incluidas Luna, Isis, Hera, Selene, Astarté y Kwan Yin) debido a la conexión de la órbita de este planeta con el ciclo de la menstruación. Hécate, la triple diosa, representa las tres fases en la vida de una mujer, es decir, virgen, madre y anciana sabia, a través de las fases de la Luna: creciente, llena y nueva. En los mandalas, la Luna aparece como una hoz, pero en ocasiones también lo hace como un disco blanco o plateado. La Luna es además un símbolo de intuición y de sabiduría interior.

MANDORLA: La mandorla también es conocida como la *vesica piscis* («vasija pez», que simboliza la vulva). Es la aureola con forma de almendra que rodea los iconos medievales de Cristo o de la Virgen María. La mandorla surge de 2 círculos superpuestos y simboliza una puerta o una abertura. En conexión con María, también representa la virginidad.

MARIPOSA: El nombre griego para mariposa es «psique», el símbolo del alma humana. Una mariposa que aparece en un mandala puede hacer referencia a la belleza, la impermanencia, la inmortalidad, el renacimiento o el cambio de forma.

Máscara: ¿Detrás de qué máscara nos escondemos? ¿Cuál es nuestro verdadero rostro? En las obras teatrales y rituales de misterio, las máscaras se utilizaban simbólicamente para representar a las fuerzas o deidades sobrenaturales.

Nimbo: El nimbo, también conocido como halo o aureola, es la corona radiante que aparece alrededor de la cabeza de los dioses solares y los santos, y simboliza la luz cósmica que los rodea y que brilla a través de ellos.

Nube: La nube es la que trae la lluvia y, por lo mismo, es un símbolo de fertilidad. La nube puede velar algo esencial. Al igual que la niebla, la nube representa la zona mítica entre el mundo humano y el reino de los muertos (Niflheim en los países nórdicos).

Ojo: El ojo es el espejo del alma. En el simbolismo, su representación es el ojo que todo lo ve, el tercer ojo, el ojo malvado o el ojo de Horus, el dios solar egipcio. En la Antigüedad, también existían los monstruos de un solo ojo, los cíclopes. De la aparición de ojos en un mandala también se dice que podría representar simbólicamente los órganos sexuales femeninos.

Pentalfa: La pentalfa es una estrella de 5 puntas que se dibuja con un solo movimiento ininterrumpido y simboliza la figura humana con los brazos y piernas extendidos. Para muchas culturas, es un talismán para la protección y la buena suerte. Además, representa los 5 elementos (tierra, agua, fuego, aire y éter), así como las 5 estaciones. Con la punta hacia arriba, simboliza la magia blanca, y con la punta hacia abajo, la magia negra.

Pez: El pez simboliza tanto los órganos sexuales masculinos como los femeninos. Además, el pez es indicativo del elemento agua y es uno de los símbolos de los primeros cristianos para representar a Jesucristo, que surge debido a su llegada al inicio de la era astrológica de Piscis.

Puerta: La puerta es un símbolo de trasformación y transición hacia una nueva etapa. La Virgen María es conocida como la «puerta del cielo». Hay una puerta que conduce a la vida y una que conduce a la muerte.

Rayo: El rayo indica la liberación de unas fuerzas energéticas que tienen un efecto renovador. Además, simboliza el fuego, la electricidad y los poderes sobrenaturales. El rayo en la forma tibetana (*vajra* o *dorje*, utilizado frecuentemente en la meditación junto con el símbolo femenino, la campana), representa la energía masculina.

Serpiente: La serpiente tiene muchos significados distintos en diversas culturas. Por un lado, es conocida como un símbolo de la sexualidad masculina, y por otro representa la fertilidad femenina bajo la forma de la diosa Gea, así como la sanación y la renovación. El ouroboros, una serpiente o dragón que se muerde la cola, es un símbolo de los eternos ciclos cósmicos. La serpiente de la kundalini que está enroscada en la parte inferior de la espalda representa la energía vital que asciende por la columna vertebral. No obstante, la serpiente también está relacionada con el mal, la muerte, el pecado original y el inframundo.

Sol: El Sol se representa como un círculo con un punto en el centro, o como una rueda, un disco, una esvástica, un círculo con los rayos hacia fuera, o un león como rey de los animales. Es nuestra fuente cósmica más importante de luz, calor y vida. El Sol interior es visto como el Yo Superior. En todas las culturas y épocas, se ha rendido culto a los dioses solares: Helios, Odín, Mitras, Indra, Quetzalcoatl, Ra y Cristo. Las diosas solares son Amaterasu, Minerva, Sol, Sulis, Isolda y Deirdre. El Sol simboliza el poder de la voluntad, la vitalidad y el disfrute de la vida.

TELARAÑA: En muchas culturas, la telaraña está considerada como un símbolo cósmico que muestra que los poderes divinos están entretejidos en la red de la vida. La telaraña exhibe una cualidad circular en forma de espiral que avanza desde el centro, con rayos que apuntan en todas direcciones. Aracné era la diosa griega del hilado, el tejido y otras técnicas del arte de hilar. La «mujer araña» de los nativos norteamericanos teje el universo todos los días y lo vuelve a destejer todas las noches. La telaraña tiene una forma de mandala natural y simboliza tanto la creación como la destrucción, la muerte y el renacimiento.

TRIÁNGULO: El triángulo, al igual que el círculo y el cuadrado, es uno de los símbolos que aparecen con mayor frecuencia. Con la punta hacia arriba, el triángulo representa la energía masculina (el fuego), y con la punta hacia abajo, la energía femenina (el agua). Muchos triángulos aparecen en los diseños *yantra* de los indios, incluido el Sri Yantra, que representa la unificación del hombre y la mujer. La letra mayúscula griega delta es el símbolo del nacimiento cósmico. Además, el triángulo equilátero simboliza la Santísima Trinidad y también la unidad del cuerpo, el alma y la mente.

Δ

VULVA: La vulva representa la sexualidad femenina. Puede aparecer como un pez, una mandorla, un ojo, una almendra, un albaricoque, una boca o una concha.

YIN-YANG: El yin-yang es el símbolo taoísta del perfecto equilibrio entre polaridades, representado por la división en forma de S de un círculo, una forma de pez clara y otra oscura, cada una con un «embrión» de su opuesto en el interior. Yin es lo femenino, el alma, lo pasivo, oscuro, húmedo, instintivo, intuitivo y suave; y yang es lo masculino, la mente, lo activo, claro, seco, racional y duro.

El simbolismo de los números

Muchos de los símbolos y las formas que aparecen en los mandalas pueden ser juzgados según su valor numérico. Los números representan una armonía cósmica milagrosa y mística y son los símbolos primarios en los que se basa nuestro orden mundial. Tradiciones religiosas, filosóficas y científicas como la Cábala, la pirámide de Keops, la Biblia, el teorema de Pitágoras, la matemática moderna, el tarot, el I Ching, la astrología y la numerología utilizan números en sus sistemas.

De hecho, las formas y los símbolos siempre se pueden contar en los mandalas. Incluso la ausencia de una forma (que todavía no se ha hecho) se revela en el significado que proviene del vacío o de no estar manifestada.

Cero: El cero está representado como un círculo vacío. Este número simboliza la nada, lo eterno, la forma perfecta y la ausencia de todo. El cero es lo no manifiesto, el vacío.

Uno: El uno se representa como una raya vertical. Es el comienzo de todo, el pionero, la esencia, el creador, el individuo, la unidad y la no dualidad. Es la expresión del yang, la energía masculina, y suele verse como Dios, el Tao o el Yo Soy. En los mandalas, el número uno representa la autoconciencia, tomar la iniciativa, la originalidad, así como el egocentrismo.

Dos: El dos es un símbolo de la dualidad, el par, los gemelos, la separación. Representa el equilibrio, la estabilidad, pero también el conflicto y la polaridad. El dos es yin, la energía femenina. El número dos hace referencia a la meditación, la cooperación y la armonía, pero también a la indecisión.

Tres: El tres aparece como la tríada y representa la integración de la dualidad. Simboliza las fuerzas creadoras, el crecimiento, la síntesis y el concepto de «afortunado por tercera vez». El número tres es el símbolo de la santísima trinidad de cuerpo, alma y mente, y la divinidad que todo lo abarca de padre, madre e hijo. Desde el antiguo Egipto llega Hermes Trismegisto (tres veces el gran Hermes).

Trenzado celta. Ilustración del Evangelio según san Juan en el Libro de Durrow.

En las mitologías griega y celta, encontramos la diosa triple como virgen, madre y anciana sabia (Hécate, Brígida). En los mandalas, el número tres puede aludir a la inspiración, el poder de la imaginación, la expresión o el desarrollo de uno mismo.

Cuatro: El cuatro es el número del orden, la estabilidad, la armonía y lo racional. Es el símbolo de la Tierra e indica los cuatro puntos cardinales, las estaciones, las direcciones, las fases de la Luna y los elementos. El cuatro es doblar la dualidad. En los mandalas, el cuatro puede representar el pensamiento sistemático, analítico, crear a partir de algo, resolver las cosas de forma práctica, y la ley y la regularidad.

Cinco: El cinco es el símbolo del ser humano con los brazos y las piernas extendidos (en la forma de la pentalfa). Representa los cinco sentidos y anuncia la aparición del quinto elemento, el éter. Si el número cinco surge en un mandala, puede indicar cambios, comunicación y capacidad de adaptación. La libertad y la aventura también son atractivos, y podría señalar la necesidad de viajar.

Seis: El número seis asegura el equilibrio y la integración perfecta de las distintas polaridades: masculino-femenino, fuego-agua, etc. La totalidad del número seis se expresa muy bien en el hexagrama, los dos triángulos que se juntan formando una armoniosa estrella de seis puntas. La totalidad del seis también está expresada en el mito cristiano de la creación del mundo, que tuvo lugar en seis días. El seis en el mandala puede hacer referencia a la salud, la felicidad, la creatividad, la armonía, la paz mental y la vida cotidiana.

Siete: En el mundo entero, el siete se considera un número sagrado y misterioso. Hay siete días en una semana, siete chakras, siete colores en el arco iris y siete tonos musicales. El número siete simboliza la intuición, la sensibilidad y la sabiduría interior. Cualquiera que tenga conexiones excepcionales con el número siete está en contacto con la naturaleza y la energía cósmica. Además, estas personas necesitan más tiempo para estar solas y reflexionar.

Ocho: El ocho es el número de la involución y la evolución. Simboliza la estabilidad, el ritmo, la renovación, el karma y el renacimiento. El ocho yaciente, la lemniscata, indica el infinito (como es arriba es abajo) y es una de las numerosas expresiones de equilibrio entre los opuestos (cielo-tierra, hombre-mujer). En los mandalas, a menudo vemos que aparece el ocho como expresión de fuerza, ambición, seguridad en uno mismo o responsabilidad.

Nueve: Muchas culturas también han considerado el nueve como una energía sagrada, una triple tríada. La aparición del nueve significa revelación, realización, terminación, universalidad y creatividad. El nueve simboliza la intuición, el amor a un nivel superior y la compasión. También puede hacer referencia a la durabilidad o la paciencia.

Diez: El número diez es el eje de nuestro sistema de cálculo, basado en los diez dedos. El diez es el retorno a la unidad, la perfección, la unificación de lo masculino (1) y lo femenino (0). En el mandala, el diez indica un cambio de curso o un nuevo comienzo.

Once: Después del nuevo comienzo del diez, el once, como número con un carácter trascendental, simboliza progreso de la actual transición, así como una percepción de criterio amplia. Como tal, el once representa la intuición, los sueños, la visualización y las imágenes clarividentes. El número once también tiene que ver con el altruismo, el liderazgo, la inspiración y el idealismo.

Doce: El número doce indica orden cósmico y tiempo: dos veces doce horas al día, doce meses, doce signos del zodíaco, doce apóstoles, doce dioses griegos. El doce pertenece al alma desarrollada e indica fortaleza interior y sabiduría.

Trece: El trece puede indicar un nuevo comienzo, así como un final, la muerte y la regeneración. En la mitología, el trece es con frecuencia un número de mala suerte, y nos recuerda, por ejemplo, el número de personas que asistieron a la Última Cena y las predicciones fatales de la decimotercera hada de la Rosa Roja. En la tradición Wicca, el aquelarre o círculo mágico se compone de trece miembros. En un mandala, el número trece puede hacer referencia a cambios, transformación o liberación.

El simbolismo de los colores

Un mandala es especialmente adecuado para descubrir nuestro propio color de una forma imaginativa y creativa. Podemos disfrutar muchísimo con el juego del color y contemplarlo con satisfacción. Nuestros ojos captan sutiles variaciones de color que se traducen en el registro de los matices percibidos en el cerebro y de este modo pueden determinar o alterar nuestro estado de ánimo.

Incluso en la Antigüedad, los egipcios, los griegos y los chinos, entre otros, sabían que los colores influyen en los sentimientos humanos y que las enfermedades pueden curarse con la terapia del color. Más tarde, investigadores del tema como Paracelso, Newton y Goethe sentaron las bases físicas y psicológicas de los principios que se utilizan actualmente en las teorías del color.

La psicología del color garantiza la aplicación práctica de los colores y sus combinaciones en la ropa, la decoración de interiores y en la pintura, y sirve como terapia dentro de las prácticas médicas alternativas e institucionales.

Todos los colores derivan de la luz blanca. El arco iris contiene los siete colores que son visibles para nosotros. Un prisma o una pirámide de cristal, una bola de vidrio con facetas talladas o un trozo de cristal de roca pueden proporcionarnos un glorioso arco iris de color cuando son atravesados por la luz.

Los chakras se corresponden con los colores del arco iris e indican las siete etapas de la conciencia que los humanos pueden alcanzar.

Los tres colores primarios (rojo, amarillo y azul) producen los colores secundarios: el rojo y el amarillo dan el naranja, el rojo y el azul dan el violeta, y el amarillo y el azul dan el verde. Las parejas de colores complementarios son el rojo y el verde, el amarillo y el violeta, y el azul y el naranja.

El índigo se obtiene mezclando los seis colores mencionados anteriormente y, al hacerlo, unifica todas las energías en su interior. A continuación, ofrezco una visión general de los significados esotéricos y psicológicos que han sido atribuidos a los colores:

Rojo: El rojo es un color dinámico, activo, con un carácter masculino. Es el color de la sangre, simboliza la energía de la vida y el disfrute de ella y, por lo tanto, tiene un efecto estimulante sobre los sentidos y la psique. El rojo es también el color de Marte, el dios de la guerra y, por ello, indica agresividad. El fuego también está simbolizado por este color: el fuego calienta pero asimismo puede destruir. El rojo representa la pasión, el fuego emocional, pero además la espiritualidad. Una preferencia por el rojo puede indicar transformación, una voluntad fuerte o el anhelo de destacar. El rojo es el color del primer chakra (el base), lo cual indica estar arraigado en el cuerpo y ser consciente de él.

Naranja: El naranja es un color alegre que vemos cuando sale el Sol y en el fuego. Este color asegura el entusiasmo, proporciona energía y tiene un efecto reforzador en el alma. Los amantes del naranja buscan la naturaleza de las cosas y son optimistas. Es un color que posee un brillo bien entonado. El naranja contribuye a ordenar las emociones y te proporciona seguridad en ti mismo. Es el color del segundo chakra (el sacro) y simboliza la sexualidad y las relaciones.

Amarillo: El amarillo irradia desde el centro y no admite limitaciones. Es el símbolo natural del Sol, que nos trae la luz y nos calienta, nos ilumina, es feliz y nos proporciona energía vital. Este color, de carácter masculino, es eternamente penetrante y alegre. Refuerza los poderes del «Yo» y del pensamiento, favorece la intuición y abre las puertas de la sabiduría y la inteligencia superior. Es el color que está en proceso hacia la madurez total, la iluminación y la liberación. Un amarillo sucio indica enfermedad. El amarillo vivo es el color del tercer chakra (el plexo solar) y corresponde a la energía, el poder y las emociones.

Verde: Encontramos el color verde en todo el mundo vegetal. Es el color de los devas y los espíritus de la naturaleza. El verde simboliza el crecimiento y la primavera, tiene un efecto calmante y armonizador, y proporciona equilibrio. Este color asegura una calma serena y una atmósfera relajada. Además, el verde nutre, refresca y sana. Como color simbólico del corazón, el verde representa la paz y el amor, así como los cambios y los celos. El verde es el color del cuarto chakra (chakra del corazón) e indica compasión y amor incondicional.

Azul: El azul es el color del cielo despejado y de las aguas profundas y, como tal, simboliza la revelación, la paz y la serenidad. Este color tiene un carácter fresco, claro, sereno. El azul es femenino. Es el color de María como arquetipo de la Gran Madre. En el azul encontramos la sombra y las profundidades cósmicas. El azul tiende a fomentar el retiro y estimula la tendencia a la independencia psicológica, la dedicación a uno mismo, la introversión y el conocimiento intuitivo. Es el color del quinto chakra (el chakra de la garganta) y simboliza la creatividad, el hablar y el escuchar a nuestro interior.

Índigo: El índigo es un azul profundo y oscuro que se consigue mezclando todos los colores del espectro. Está en la frontera de lo que es apenas perceptible y lo que es invisible, de modo que tiene un carácter místico, meditativo, y es un símbolo de la conciencia universal. El índigo es el color del sexto chakra (el chakra del entrecejo) y corresponde al tercer ojo, la clarividencia y la intuición.

Violeta: El violeta se consigue mezclando el azul y el rojo. Con su carácter cósmico, es un color que evoca la inspiración mística. Al igual que el púrpura, este color es real y simboliza la devoción y la transformación. Su temperamento es individualista, sensible e indica la necesidad de introspección, así como de penitencia. El violeta, como el blanco, se utiliza como el color del séptimo chakra (chakra de la coronilla) e indica una conexión con lo cósmico, la iluminación y el éxtasis.

Rosa: El rosa es una mezcla del rojo y el blanco y hace referencia al amor, la ternura y la necesidad de protección. Este color alude al niño que hay en nuestro interior y a nuestro lado femenino.

Blanco: El blanco simboliza la nada, la perfección trascendente, la iluminación y la pureza. Es fresco, objetivo y virginal. El blanco indica el despertar del sentimiento de «Yo». Dejar en blanco partes de un mandala indica estar preparado para cambios internos, esperar algo nuevo, o puede significar una pérdida de energía. El blanco, al igual que el violeta, suele utilizarse como el color del séptimo chakra (chakra de la coronilla) y simboliza lo cósmico, la iluminación y el éxtasis.

Negro: El negro es el color de la oscuridad y la muerte. Se limita a sí mismo, es misterioso e indica una ausencia de conciencia. Además, el negro indica depresión, tristeza, miedo y luto. Es un color que se inclina hacia dentro, es intangible, pero contiene la expectativa del nacimiento de algo nuevo (el útero oscuro, la cueva, las cámaras subterráneas de los indios pueblo). Es también un color que puede ofrecer protección para algo vulnerable. El negro en los mandalas ofrece la oportunidad de integrar la propia sombra (aspectos de uno mismo que uno ha rechazado) con el Yo. Las diosas de la oscuridad son la Virgen Negra, la diosa hindú Kali, la Morgan-le-Fay celta y la Hécate griega.

Gris: El gris simboliza la neutralidad. En la naturaleza, encontramos el gris como el color de la niebla, la bruma y las cenizas. No destaca, pero puede indicar sabiduría (los cabellos grises de los ancianos sabios). En muchas culturas se utilizan piedras grises para marcar el contorno de un lugar sagrado. Tanto psicológica como espiritualmente, un período o una atmósfera gris indican una zona de transición entre lo conocido y lo desconocido.

Marrón: El marrón es un color cálido, que simboliza lo doméstico y lo maternal, y tiene un efecto envolvente. Este color nos proporciona un suelo bajo nuestros pies. Es el color de la tierra, el otoño y la madera. Sin embargo, también puede indicar sobriedad, penitencia y conflicto. El marrón tiene un carácter moderado y puede indicar una baja autoestima o energía bloqueada.

DORADO: El oro es un metal precioso y su valor como color indica la luz cósmica del Sol. El dorado en un mandala alude a la totalidad y la etapa más elevada del desarrollo espiritual. Representa la energía masculina.

PLATEADO: La plata, como metal precioso, es el opuesto femenino del oro y simboliza a la Luna como cuerpo reflectante, celestial, el brillo de la noche. La plata es conocida como un elemento protector contra las fuerzas negativas.

6. *Interpretar mandalas*

Dibujé y pinté el mandala de la cubierta de este libro con lápices de acuarela. Su diámetro es de casi 10 centímetros. Primero tracé un círculo con un compás y una regla. Luego, dibujé una cruz en su interior. Partiendo del centro, utilicé el compás para dibujar un pequeño círculo interior y, a continuación, 4 círculos a su alrededor. En torno a los 4 círculos hice tres-cuartas partes de círculos un poco más grandes con un compás y, luego, alrededor del círculo exterior original, dibujé un segundo círculo. Éste fue el «esqueleto», las primeras líneas directrices, que dibujé con un lápiz de grafito y luego borré parcialmente o volví a trazar.

A partir de ese momento, no utilicé más líneas directrices, sino que continué resolviendo el mandala intuitivamente con lápices de colores. Lo terminé bastante rápido, en aproximadamente tres horas. Trabajé de una forma veloz e impulsiva. Repasé algunas de las líneas directrices con un lápiz de color. Poco después, empezaron a emerger las primeras formas de las zonas en blanco. Como no tenía ninguna idea previa de lo que iba a dibujar, me sorprendí al ver los símbolos que surgían aparentemente de la nada.

El símbolo que hay en el centro está formado por un triángulo rojo y otro azul que penetran el uno en el otro. Para mí, esto representa las energías masculina y femenina; las medialunas (mujer receptiva) y los soles (hombre que penetra) alrededor del símbolo central enfatizan su significado. Estos soles son estrellas de 8 puntas, las cuales pueden hacer referencia a la fuerza, la estabilidad y la renovación. Los soles, las medialunas y los triángulos están dentro de un cuadrado azul, el cual está rodeado a su vez por un círculo rojo con una forma de cruz que tiene 4 semicírculos amarillos entre sus brazos. Alrededor, hay un círculo verde dentro de un cuadrado del mismo color. Desde las esquinas del cuadrado verde salen unas puntas naranja con forma de flecha rodeadas de unas formas de corona o de lirio, cuyos colores se mezclan, variando desde el amarillo hasta el verde. De este modo, apareció una cruz de san Andrés (X) en el mandala. Entre los brazos de la cruz, en el fondo, se puede ver un cuadrado rojo que contiene en cada esquina un ojo con un contorno azul con forma de mandorla y con un iris morado. También se pueden ver las esquinas del cuadrado independientemente, como triángulos rojos con forma de conos (el elemento fuego), de los cuales, de hecho, salen unas llamas naranjas, amarillas y verdes. Los triángulos, los ojos y las llamas están rodeados por unos círculos azules que parecen demasiado pequeños para el poder de éstas, pues las llamas sobrepasan sus bordes y llegan hasta el círculo azul exterior. Algunas pequeñas llamas muy poderosas y decididas incluso se asoman fuera de él. ¿Es posible que este fuego no pueda tolerar la limitación? Pero primero lo primero: yo escogí intuitivamente todos los colores, las formas y los símbolos que hay en el mandala, sin pensarlos de antemano. De hecho, he comentado sólo una pequeña porción de los simbolismos de las formas, los números y los colores que aparecen.

¿Qué significa este mandala para mí ahora?

Cuando lo miro desde una cierta distancia, las siguientes formas llaman mi atención: las llamas, que al estar repetidas forman una cruz; la cruz naranja-amarilla-verde de san Andrés; el color azul del cuadrado interior; los 4 círculos azules alrededor de las llamas y el círculo azul exterior. De aquí, extraigo lo siguiente:

FORMAS	*cruz, cruz de san Andrés, cuadrado, 4 círculos pequeños, un círculo exterior, llamas*
NÚMEROS	*4, 1*
COLORES	*naranja, amarillo, verde, azul* (El rojo y el violeta también han sido incorporados al mandala, pero me hablan un poco menos en estos momentos.)

Tras una breve visión general, puedo decir lo siguiente sobre mi mandala: simboliza mi energía interior (fuego) y expresa la búsqueda de equilibrio entre mis lados masculino y femenino. Teniendo en cuenta que todos los colores del espectro están presentes en mi mandala, éste es esencialmente la persona total que yo soy. Sin embargo, siento que el color azul es el que más llama mi atención y para mí esto significa la conexión con el arquetipo de la Gran Madre, con mis dones intuitivos, la reflexión, la calma y la dedicación a mi faceta meditativa. La cruz de las llamas y la cruz de san Andrés encima expresan un movimiento dinámico. El número 4, los diversos cuadrados, así como las cruces de 4 brazos simbolizan para mí la necesidad de orden, estabilidad y armonía. Asocio los círculos con la unidad y con un espacio vital protector en el que se expresa la totalidad cósmica. Para mí, los colores naranja, amarillo y verde representan respectivamente el entusiasmo, la energía vital y el equilibrio en la naturaleza. El rojo en mi mandala aparece en el triángulo central, en la forma de cruz alrededor del cuadrado azul, en el cuadrado grande entre los brazos de la cruz de san Andrés y en los 8 triángulos en los brazos de la cruz en forma de X. El rojo, para mí, significa dinamismo, lo opuesto a los tranquilizadores verde y azul. Parece como si el violeta abrazara los 4 círculos azules, y también está en el espacio con forma de diamante en el centro de mi mandala. El violeta en este último lugar (en realidad, ¡en el primero!) me dice que los poderes masculino (rojo) y femenino (azul) están en proceso de mezclarse en mi interior.

Hice este mandala en la festividad de la Ascensión, en 1992, y le puse por título «Fuego interior».

Análisis de las láminas de color

1. El viaje interior

Dibujé este mandala intuitivamente con lápices de acuarela. Tiene un diámetro de aproximadamente 10 centímetros. La única línea directriz que tracé con un compás fue la del círculo exterior. En el centro amarillo aparece una espiral naranja que gira hacia la izquierda, lo cual representa la búsqueda interna, el camino hacia nuestro propio interior. A partir de ahí, aparece una flor de 8 puntas con forma de rosetón de colores azul, verde, naranja y rojo. Detrás hay un loto amarillo y azul sobre un fondo verde, rodeado por un círculo violeta. Ambas flores se expresan como una totalidad que tiene un equilibrio natural. Los pétalos del rosetón están unidos unos a otros mediante 8 pequeños círculos. Debido a la base azul y verde de los pétalos de las flores, hay una profundidad en el mandala y parece como si la espiral estuviera penetrando cada vez más en su interior. El círculo violeta aporta un toque cósmico a la totalidad. A su alrededor hay un cuadrado naranja recto y un cuadrado verde inclinado, ambos con esquinas redondeadas, dentro de las cuales he dibujado 8 círculos, unos rojos con borde azul y otros azules con borde rojo. El fondo es amarillo. La totalidad está rodeada por un grueso círculo rojo, que tiene un círculo delgado color morado oscuro como borde exterior.

El número 8 aparece mucho en este mandala, en las dos formas florales, en los 2 anillos circulares y en los 2 cuadrados que juntos forman una estrella de 8 puntas. El 8 puede hacer referencia aquí a la fuerza, la renovación, el equilibrio y el renacimiento. Dibujé este mandala como el primero de una serie en la que empecé a usar unos colores más vivos e intensos que antes. Siento que la flor roja y el círculo rojo, que pueden simbolizar mi energía vital renovada y la transformación que resulta de ella, destacan. La flor roja masculina es vivaz y se mueve hacia delante saliendo del loto azul, estable y femenino.

2. Sabiduría

Construí este mandala con la ayuda de un compás y una regla, y lo dibujé con lápices de acuarela (diámetro aproximado: 10 centímetros). Añadiendo varios círculos superpuestos, apareció una variedad de áreas similares a una mandorla (con forma de almendra), que representan la energía sexual femenina. En el centro hay 2 formas de cruz superpuestas colocadas en un círculo verde oscuro con un cuadrado verde claro a su alrededor. La forma de cruz roja acaba siendo parte de los 4 círculos superpuestos. En las esquinas del cuadrado verde claro, que también pueden verse como pirámides independientes, hay unos ojos de Horus azules dentro de una zona rosa. Los 4 círculos rojos están atravesados por 4 círculos más grandes de borde morado. En las zonas amarillas-naranja de estos círculos hay unas medialunas (energía femenina) con el Sol (energía masculina) representado en ellas. La cruz de san Andrés que aparece entre los círculos morados está formada por unos lotos egipcios de color azul y rojo (un símbolo de fertilidad y también de un dios solar) con hojas de color verde oscuro sobre un fondo verde claro. Todo esto está envuelto por un círculo exterior naranja y turquesa.

En este mandala, el número 4 aparece en prácticamente todos los símbolos. Representa mis vertientes racional y analítica y mi necesidad de armonía y estabilidad. Los símbolos concretos provienen todos del antiguo Egipto y reflejan mi amor por la sabiduría y el conocimiento de un pasado distante. Los colores que más resaltan son el amarillo, el naranja y el verde, que para mí significan, respectivamente, sabiduría superior, energía y armonía.

3. Loto

Dibujé este mandala de un loto con lápices de acuarela y con ayuda de 2 plantillas para las formas interiores y de un compás para el círculo exterior (casi 22 centímetros de diámetro). Tracé la plantilla con forma de pétalo 8 veces y así surgió una flor (amarilla-naranja-roja). Los pétalos se superponen 8 veces, de manera que en el centro aparece un centro similar de 8 rayos (rosa-morado).

Tracé parte de la segunda plantilla, que tiene forma de almendra, alrededor de la flor para crear una corona de hojas (verde-azul). En torno a todo esto hay un círculo exterior que va del rosa al rojo. Dibujé las plantillas a mano alzada sobre un trozo de cartón. Luego las recorté y las tracé sin prestar atención al número de pétalos que aparecían en la flor. Además, elegí intuitivamente los colores de este mandala. La corona exterior está formada por 16 hojas, que se corresponden con el loto de 16 pétalos del chakra de la garganta. La aplicación de 2 plantillas con formas sencillas hace que este mandala irradie una serenidad rejuvenecedora para mí. La flor tiene un origen cósmico (morado) y extiende sus pétalos de color amarillo-naranja-rojo, que recuerdan a la tierra, sobre un recipiente de 16 hojas que simbolizan la creatividad (azul) que proviene del corazón (verde). El círculo rosa-rojo hace referencia al crecimiento de una fragilidad infantil en mí que se está transformando en una energía vital dinámica poseedora de fuerza de voluntad.

4. Energía 1

Éste es un mandala intuitivo que pinté usando la técnica de mojado sobre mojado, y que mide aproximadamente 21 x 30 centímetros. Utilicé pintura de 3 colores: amarillo, rojo y azul. El naranja y el verde emergieron cuando los colores se mezclaron mientras pintaba. Construí este sencillo mandala con mucha rapidez. Empecé desde el centro con el círculo amarillo y luego, cuando lo mezclé con el rojo, apareció el círculo naranja. El verde y el azul se mezclaron muy poco, cuando lo hicieron, pero el azul exterior sí se mezcló con el amarillo, que llena el papel hasta sus bordes y crea un color verde. Lo que me sorprendió fue que, aunque el rojo masculino y el azul femenino se tocan, no se mezclaron. A pesar de ello, el mandala sigue dando una impresión muy viva, probablemente debido a este contraste entre el azul y el rojo. Otra cosa que llama la atención es que el mandala empieza con el amarillo en el centro y luego, a través del naranja y el rojo, evidentemente llega a un límite, después del cual aparece el azul que, tras pasar por el verde, acaba convirtiéndose otra vez en amarillo. Los 3 principales colores regresan en la forma de unos radios ondulados que atraviesan los círculos. El rojo y el azul forman una cruz de 4 brazos y el amarillo otra de 8, de modo que lo que aparece es una rueda con 16 radios. Aquí detecto un equilibrio en el que el color amarillo está presente de una forma exuberante, expresando una energía llena de vida. Como la pintura de los círculos todavía estaba ligeramente húmeda, la pintura de los radios se corrió un poco, con lo que apareció una mezcla de colores en el centro. El color de los radios es más sutil en los extremos, porque pinté el amarillo exterior encima de ellos.

5. Energía 2

Dibujé este mandala intuitivamente, empezando desde el centro, con pasteles al óleo. Tiene un diámetro de unos 20 centímetros. Hubo una época en la que me encontraba triste y deprimida, y sentía que mi energía creativa estaba bloqueada. Impulsivamente, saqué una hoja de papel y los pasteles al óleo. Con movimientos rápidos, dibujé un mandala en quince minutos. Apareció una flor roja y azul con 6 pétalos asimétricos en medio de un círculo rosa con una estrella roja de 18 puntas a su alrededor. Cuando dibujé un círculo azul alrededor de esto, tuve que hacerlo entre las puntas de la estrella que ya estaba pintada. La punta gruesa del pastel al óleo dificultó esta tarea, y parte del rojo se mezcló con el azul, dando como resultado un morado un poco manchado. Luego, con pastel al óleo rojo, proporcioné a la estrella roja sus contornos originales, y con el color morado dibujé triángulos en las puntas rojas de la estrella. Después de esto, apareció el resto de los círculos con los colores del arco iris. Con los dedos, mezclé el azul y el amarillo sobre el papel para crear un verde, al igual que el amarillo y el rojo, que se convirtieron en naranja. El rojo y el azul se convirtieron en morado de la misma manera. Puesto que coloqué el mandala sobre una esterilla redonda que ya tenía, ¡el círculo azul exterior acabó debajo de ella! Cuando acabé, noté que mi estado de ánimo triste prácticamente había desaparecido. Estaba feliz con mi mandala, cuyo brillante anillo amarillo era lo que más llamaba mi atención. La flor de 6 pétalos en el círculo con forma de estrella sale de las aguas azules del subconsciente, representando para mí las frágiles energías masculina y femenina, las cuales aparecen en la estrella roja de 18 puntas (3 por 6 da 18). La estrella no llega a conectar realmente con el círculo azul femenino que la rodea, excepto en el morado ligeramente manchado y turbio que aparece en algunas zonas entre las puntas de la estrella. Siento que aquí todavía no hay una integración.

6. La fuente

Este mandala lo bordé intuitivamente empezando por el centro (el diámetro es ligeramente superior a 27 centímetros). Había planeado de antemano trabajar en mi Yo positivo y alegre. Empecé bordando una forma de cruz roja en el centro y, a continuación, con naranja, amarillo, verde, azul y morado dispuse todos los chakras. Esta forma básica caracteriza a la primera etapa del mandala y está rodeada de un borde caprichoso de color carmesí que rodea a figuras triangulares, cuadrados y flechas. Después del oscuro carmesí, elegí, por contraste, un amarillo exuberante que se convierte en verde en el siguiente borde.

Entre las esquinas de esta zona básica, emergió una figura con forma de copa, la cual rellené con unos pequeños cuadrados blancos con bordes morados. Partiendo desde el centro, una cruz de san Andrés atraviesa las copas. Los extremos de la cruz acaban en una flor roja y azul. Luego, la cruz de san Andrés continúa avanzando, e incluso llega a atravesar el borde del octágono. Veo esto como una especie de antena para mi conexión con el infinito, con lo no manifiesto. La cruz roja recta también surge desde el centro y acaba en la parte amarilla del arco iris. A su paso, los brazos de la cruz se encuentran con un embudo rojo que contiene una especie de foco brillante (¿la iluminación?) en las esquinas de un cuadrado inclinado. Este cuadrado forma la segunda etapa del mandala. Sus límites son atravesados por la cruz roja recta y por las flores rojas-azules de la cruz de san Andrés. El cuadrado inclinado es un poco transparente y contiene elementos (las flores y el color de rosa) del cuadrado derecho. Juntos, estos cuadrados forman una estrella de 8 puntas (la tercera etapa) que está rodeada por un círculo azul marino con un delgado anillo exterior rosado, la cuarta etapa. El mandala está cerrado por un octágono con los colores del arco iris (o los chakras) en orden inverso, la quinta etapa, donde el rojo es tanto el color inicial como el final. Entre el círculo azul y el octágono aparece una zona de color violeta pálido con pequeños cuadrados dentro de ella de color rojo, naranja, amarillo, verde, azul, morado, blanco y negro.

Puesto que el mandala se inició desde el centro, indica un movimiento hacia fuera. A través de una serie de símbolos, veo que surge también un efecto hacia el interior, principalmente a través de la cruz recta que muestra 4 flechas que apuntan hacia el centro en el interior del cuadrado amarillo y naranja. La cruz de san Andrés inclinada apunta 4 flechas rojas hacia el interior a través de las flores, pero también la copa morada parece contener una flecha invertida, que incluso está acentuada por el borde rosado que penetra en el cuadrado verde. Para mí, la totalidad indica un intercambio entre mi ser interior y el mundo exterior de la experiencia. Las 2 formas de cruz rojas y terrosas provenientes del centro entran en conexión con las fuerzas cósmicas que vienen de lo no manifestado, el gran vacío. El arco iris, puente entre el mundo y el paraíso, también simboliza la síntesis. El gran círculo azul representa para mí un sentimiento oceánico, la energía femenina primitiva, el vínculo con la Gran Madre. Este mandala retrata mi fuente telúrica así como mi origen cósmico y, por lo tanto, la conexión con mi conocimiento interior más profundo, o mi Yo Superior. Mientras bordaba este mandala, surgió la idea básica de este libro.

7. Temor y anhelo

Este mandala fue bordado intuitivamente partiendo desde el centro y tiene un diámetro de casi 29 centímetros. Con él me proponía adquirir una mayor perspectiva de mis sentimientos de vinculación y afecto hacia mi pareja, mis hijos, los miembros de mi familia, mis amigos y conocidos; resumiendo, en relación con las personas de mi entorno. Empecé con un punto de cruz color morado claro en el centro, el cual creció hasta convertirse en una forma de cruz con 4 brazos de color naranja y morado. Continuando con el morado, hice 4 corazones pequeños rellenos de un color rosa-rojo (fucsia) y otros tantos rellenos con un verde. Juntos, representan un círculo de 8. Mientras estaba bordando, surgieron una serie de formas de fantasía que más tarde resultaron ser unos cuernos de carnero en forma de espiral de color naranja y unas flechas verdes apuntando hacia dentro. Esta última forma también podría ser una planta con forma de antorcha que brota de los corazones fucsia. Utilizando un borde fucsia, amarillo y naranja, creé una flor con 8 pétalos con forma de loto, a su vez orlada con 8 hojas verdes. Parece como si la flor se balanceara sobre un fondo amarillo pálido y pudieras ver a través de ella. Al principio, intenté proyectar en ella mis sentimientos amorosos, superiores, espirituales. Y estaba bordando con el corazón y el alma, y rebosando «espiritualidad». Al menos, eso era lo que yo creía. Sin embargo, cuando acabé esta etapa del mandala y lo estudié desde la distancia, me pareció que era una flor increíblemente sosa. Es cierto que tiene una forma muy bonita, pero es sumamente frágil y dulzona. Había que hacer algo, porque si éste era el reflejo de mis sentimientos espirituales de amor, ¡estaba consiguiendo que me quedara dormida! De modo que, rápidamente, en respuesta a ello, bordé un cuadrado naranja recto y otro verde inclinado, donde coloqué triángulos de colores vivos: 16 azules, 4 amarillos y 4 rojos. Por si esto no fuera poco, en el cuadrado recto aparecieron 4 guardas de marfil dentro de unos triángulos negros y, en el cuadrado inclinado, 4 peones negros en los triángulos blancos. ¡Difícilmente se hubiera podido conseguir un contraste mayor en ese momento! Entonces, ¿qué quería decir esto? Los 16 triángulos azules acaban correlacionándose con el loto de 16 pétalos del chakra de la garganta y simbolizan las fuerzas creativas que, en mi mente, se veían «amenazadas» por los 4 triángulos rojos (fuego masculino) y amarillos (Sol-fuego, intelecto). Los guardas de marfil eran puntos blancos en mi vida, que todavía no habían sido llenados, enfatizados por los triángulos negros y oscuros de mis temores inconscientes. Los peones negros hacen que esos miedos destaquen aún más en los triángulos blancos. De modo que me quedó claro que las relaciones con los demás no están compuestas únicamente de sentimientos espirituales recíprocos o sutiles sentimientos de amor; que el miedo, la tristeza y la tensión entre las fuerzas masculina y femenina tienen su lugar en la totalidad y que este proceso se denomina «vida». Después de esta etapa, apareció alrededor de los 2 cuadrados una zona con los colores azul claro (agua, emociones), rojo intenso (sangre, la energía de la vida), naranja (calidez, alegría), amarillo (Sol), fucsia y morado (espiritualidad). Junto a las esquinas del cuadrado recto hay 8 gotas que representan mi tristeza y mis miedos, ahora aceptados conscientemente, y las abundantes lágrimas que he tenido que derramar.

La última etapa de este mandala está formada por un cuadrado inclinado bordeado con un color azul vivo. En sus esquinas se pueden ver unas diminutas figuras humanas con los brazos alzados y con halos alrededor de la cabeza. Esta forma también se podría ver como un Grial con una gota de sangre en su interior. En cualquier caso, este símbolo representa para mí el regreso de mi energía creativa femenina. Además, veo un cuadrado recto con un borde rojo y, en cada esquina, hay un corazón rojo encima del cual hay una espada gris con una serpiente blanca y una serpiente negra entrelazadas a su alrededor como si se tratara de un caduceo. Mi lado masculino está representado por el corazón rojo, apasionado, y la espada mágica Excálibur, que protege a quien la lleva. Y, para mi sorpresa, observo que mi «miedo» negro y oscuro ha alcanzado una armonía con mi «anhelo» blanco todavía no manifestado en el símbolo de las serpientes entrelazadas. En contraste con la mayor parte de mis mandalas, éste no está encerrado dentro de un círculo. En mi opinión, esto indica que el proceso anteriormente comentado todavía está en marcha y que este mandala contiene la promesa de que algún día podré bordar otra etapa a su alrededor.

8. Sur En

Este mandala está dibujado con lápices de acuarela. Tracé los círculos y las líneas con un compás y una regla, y sus medidas son aproximadamente 11 x 15 centímetros. Lo dibujé con la intención de que fuera una ilustración de la rueda de color para este libro. De la luz blanca del centro surgen los tres colores primarios (rojo, amarillo y azul), así como los secundarios (naranja, verde y morado). En su interior, y en la segunda y tercera ruedas de color, aparecen combinaciones de los colores complementarios: rojo-verde, amarillo-morado y azul-naranja. El nombre «Sur En» es el de un camping suizo en el río Inn, donde dibujé este mandala.

7· Ejercicios de relajación y visualización

En realidad, solamente es posible hacer un mandala de una manera reflexiva e intuitiva si hay una atmósfera relajada en tu espacio de trabajo. Procura que la habitación esté bien ordenada y que nadie te moleste. Puedes crear un ambiente que favorezca la creatividad encendiendo velas e incienso, vaporizando aceites aromáticos y también poniendo música meditativa.

Estas condiciones asegurarán que hacer un mandala se convierta en un medio para encontrar la paz mental y el equilibrio. Los ejercicios de relajación y visualización que se describen en este capítulo pueden ayudar a serenar la mente.

Estos ejercicios se llevan a cabo tendiéndote sobre una superficie que no sea demasiado blanda o sentado en una silla de respaldo recto, con los pies juntos en el suelo y la espalda erguida. Es indispensable respirar bien, desde el estómago.

Controla tu respiración colocando ambas manos sobre tu estómago cuando estés en la postura de relajación. Al respirar, debes sentir que tu vientre (no tu pecho) sube y baja. Durante los ejercicios de relajación en el suelo, los brazos y las manos están planos junto a tu cuerpo. Si estás sentado en una silla, tus manos se mantienen sobre las rodillas, o una sobre otra en tu regazo, con las palmas hacia arriba y los pulgares tocándose.

1. Ejercicio de arraigo y el huevo protector

Todo ejercicio de relajación o visualización se inicia arraigándote y protegiéndote. Esto se hace de la siguiente manera: imagina que una raíz muy larga crece desde tu pelvis y penetra en la tierra, cuanto más profundo mejor. No importa si haces este ejercicio sentado o acostado, en el bosque o en un apartamento en el décimo piso de un edificio, pues la raíz atraviesa toda la materia. Es tu conexión con la tierra y es una manera de asegurarte que no empezarás a «flotar» durante un ejercicio. Mientras hagas un ejercicio, comprueba regularmente que, en tu imaginación, la raíz siga siendo suficientemente larga, ya que en ocasiones intenta marcharse.

Cuando estés arraigado, imagina que todo tu cuerpo está envuelto en un huevo transparente. De este modo, puedes protegerte de cualquier posible influencia negativa proveniente del exterior.

2. Ejercicio de relajación

Asegúrate de estar cómodamente sentado o acostado, de no llevar una ropa ajustada que te moleste y de que el pelo no te moleste. Haz primero el ejercicio de arraigo e imagina el huevo protector.

Cierra los ojos. Lentamente, inspira, contén la respiración durante un instante y luego deja salir el aire muy despacio. Haz esto 3 veces. A continuación, puedes respirar con calma a tu propio ritmo, pero ya no tan profundamente, o de lo contrario te marearás. Procura respirar con el estómago. En este momento, empieza realmente el ejercicio de relajación.

Mientras inspiras, tensa los músculos del pie, incluyendo los dedos, apretándolos. Mantenlos así durante un momento y luego suéltalos mientras exhalas. Hazlo 3 veces. Después haz lo mismo con los músculos de las piernas, tensando al inspirar, manteniendo la tensión brevemente y luego soltando al espirar.

A continuación, pasa a los músculos de las nalgas y la pelvis. Una vez más, tensa 3 veces, mantén y suelta. Haz lo mismo con los músculos del estómago, la espalda y los hombros, y luego con las manos y los brazos, en ese orden.

Para relajar el cuello, haz movimientos circulares con la cabeza cuidadosamente hacia la izquierda y luego hacia la derecha. Después tensa simultáneamente todos los músculos del rostro, distorsionando tu expresión lo más posible; mantenla así durante unos instantes y luego vuelve a relajarla. Finalmente, tensa todos los músculos del cuerpo al mismo tiempo mientras inspiras, mantenlo así y luego suelta al espirar.

De este modo, habrás viajado por todo el cuerpo, tensando y relajando. Tu cuerpo experimentará ahora una sensación de bienestar. Permanece acostado o sentado como estabas durante un rato, con los ojos cerrados. A continuación, mueve con cuidado los pies, los brazos, la pelvis, los hombros, la columna vertebral y, por último, los brazos y las manos. Haz movimientos circulares con la cabeza y luego algunas muecas con el rostro. Mientras abres los ojos lentamente, sentirás que tu conciencia fluye por todo tu cuerpo y habrás regresado al aquí y ahora.

3. Ejercicio de visualización

Puedes alimentar el arte de visualizar, o de imaginar algo en tu mente, con el siguiente ejercicio.

Coloca un objeto delante de ti en una mesa; por ejemplo, un jarrón, una vela encendida o cualquier otra cosa. Mira fijamente el objeto durante varios minutos. Sigue su forma con la mirada. Absorbe su color mientras continúas mirando. Luego, cierra los ojos y deja que la imagen aparezca delante del ojo de tu mente. A veces esto no ocurre inmediatamente, pero cuando hayas hecho este ejercicio unas cuantas veces los resultados serán cada vez mejores. De hecho, éste es un calentamiento para el ejercicio de visualización siguiente.

4. Entrar en el círculo: una visualización o fantasía guiada

Tu cuerpo está relajado, tu respiración está sosegada y tus ojos están cerrados. Estás bien anclado a través de tu raíz y te encuentras dentro de un huevo transparente y protector.

Imagina que estás caminando por un sendero en el bosque. Es un delicioso día de primavera, el sol brilla con fuerza y puedes oír cantar a todo tipo de pájaros. Sigues el sendero durante un rato y luego, tras la última curva, llegas a un espacio abierto en el bosque, rodeado de árboles. Quizá sean tus árboles favoritos, o unos robles sagrados.

En medio de este espacio abierto, hay una gran roca plana y redonda, una especie de piedra de molino. Cerca del árbol más grande tomas un caminito que avanza en espiral, a través de unos arbustos de arándanos, hacia la gran piedra.

Sigues avanzando por este camino. Después de la primera vuelta, hay una segunda, y luego una tercera, y finalmente llegas a la roca. Puedes sentarte en ella. Te das cuenta de que has llegado al centro de la espiral, que es un símbolo de tu propio centro interior.

Si te quedas sentado en la roca durante un rato, pasarán por tu mente todo tipo de pensamientos y observarás lo que hay a tu alrededor. Luego aparecerá una persona o un animal. Dale la bienvenida a esta criatura: tiene un significado para ti. Mira qué aspecto tiene y pregúntale si tiene algo que decirte; la respuesta es sólo para ti. A continuación, la criatura se marcha y tú la ves alejarse hasta que desaparece en el bosque. Si crees que ha llegado el momento de partir, ponte de pie y, tranquilamente pero con atención, inicia tu camino de regreso por el sendero. Lentamente, camina por la primera vuelta, luego la segunda y, finalmente, en un círculo que se amplía cada vez más, por la última, hasta encontrarte de nuevo junto al árbol grande. Antes de irte, echa una mirada al espacio abierto con la piedra, a tu propio laberinto, que te condujo por este pequeño sendero hasta tu centro y te guió de regreso al bosque, enriquecido por la experiencia. A continuación, retírate de este lugar, con su círculo sagrado de árboles, su sendero serpenteante y su piedra redonda.

Penetra en el bosque siguiendo el sendero, hasta llegar al mundo civilizado. A continuación, entra en este espacio y encuéntrate una vez más en tu entorno conocido. Mueve tus extremidades y siente cómo la conciencia fluye de vuelta penetrando en cada parte de tu cuerpo. Respira profundamente un par de veces y luego abre los ojos lentamente. Estás otra vez en el aquí y el ahora. Ponte de pie y estira las piernas y el resto de tu cuerpo.

Motivo para un canasto de los nativos americanos.

Después de este ejercicio, si te apetece, puedes sacar una hoja de papel y algunos lápices (u otro material con el que quieras trabajar) y, de una forma totalmente intuitiva, hacer un mandala que reunirá todas las cualidades de la experiencia que acabas de atravesar.

5. Ejercicio para desconectar el lado izquierdo del cerebro

Asegúrate de estar en una posición tranquila y relajada. En primer lugar, mira fijamente el centro de un mandala sencillo. La idea es abarcar todo el mandala con la mirada y simplemente dejar que tenga un efecto en ti tal como es.

Intenta no reconocer ni analizar ninguna forma. De este modo, las pautas de pensamiento del hemisferio izquierdo del cerebro, que suelen ser caóticas, se serenarán para que el hemisferio derecho, que está abierto a la creatividad, se pueda expresar. Al mirar fijamente el mandala, podrás centrar mejor tu atención.

Al principio, hazlo sólo durante un par de minutos. Más adelante, puedes ampliar el tiempo que necesitas para serenarte.

Es muy normal que parezca que el mandala vibra o se mueve, o que uno vea aparecer otras formas.

Conclusión

En el sonido del silencio
nace la respuesta.

Escribí esta cita hace dos años, en un momento de calma y reflexión, cuando aún no había oído hablar de la existencia de los mandalas.

Ahora encuentro que es un bonito dicho que expresa el valor del mandala personal. El intercambio relajante que emana tanto del acto de crear un mandala como de contemplarlo es algo que podemos experimentar como una fuente de bienestar en nuestras vidas, que suelen ser caóticas y ajetreadas.

El antiguo juego de niños holandés, «Jan Huigen», que recuerda a la poesía infantil inglesa de «Humpty Dumpty», nos dice cuán importante es el círculo que rodea algo:

Jan Huigen en una tinaja
con un aro de metal que la rodeaba.
Jan Huigen, Jan Huigen.
Pues la tinaja cayó en pedazos.

En cuanto el aro de metal que rodea a la tinaja es retirado, todo se desmorona y la tinaja deja de existir; sólo queda un puñado de tablas con las que nada se puede hacer. El círculo que rodea al mandala es como el aro alrededor de la tinaja. El círculo envuelve todo lo que dibujamos, pintamos o bordamos en él. El centro del círculo es el punto de calma en el que nos atrevemos a sentirnos seguros para poder expresarnos completamente a través de unos símbolos interiores conscientes e inconscientes. El círculo se asegura de que no se pierda energía, y la construcción simétrica del mandala permite que emerja una totalidad armoniosa en la que nuestras preguntas pueden convertirse en respuestas.

Bibliografía comentada. Música para hacer mandalas

Algunas de las siguientes publicaciones están agotadas, pero se pueden encontrar en librerías de segunda mano (véase también www.alibris.com) o en las bibliotecas y sus programas de intercambio. Muchos de los autores citados a continuación tienen actualmente otros títulos sobre temas relacionados que pueden encontrarse en lengua inglesa. Además, Internet es un gran lugar para obtener información sobre los mandalas. Prueba la página http://abgoodwin.com/mandala.

AIVANHOV, Omraam Mikhaël. *El lenguaje de las figuras geométricas.* Barcelona: Ediciones Prosveta, 2003.

ARGÜELLES, José y Miriam. *Mandala.* Boston y Londres: Shambhala, 1980.

ARRIEN, Angeles. *Signs of Life: The Five Universal Shapes and How to Use Them.* Sonoma, CA: Arcus Publishing Co., 1992.

BAIN, George. *Arte celta: os métodos de elaboración.* Obre-Noia: Ed. Toxosontos, 2000.

BEAR, Sun y Wabun WIND. *The Medicine Wheel: Earth Astrology.* Engelwood Cliffs, NJ: Prentice Hall, 1980. Véase también: Reimpr. Lithia Springs, GA: New Leaf Distributors, 1992.

BERGER, Thomas. *The Christmas Craft Book.* Beltsville, MD: Gryphon House, 1990. [Incluye estrellas transparentes y de paja.]

BESANT, Annie Wood, y C. W. LEADBEATER. *Formas del pensamiento.* Barberá del Vallès: Editorial Humanitas, 1986.

BIEDERMANN, Hans. *Diccionario de símbolos: con más de 600 ilustraciones.* Barcelona: Ediciones Paidós Ibérica, 1996.

BINGEN, Hildergarda de. *Vida y visiones de Hildegard von Bingen.* Ed. por Theoderich von Echternach. Madrid: Ediciones Siruela, 1997.

_______. *Scivias, conoce los caminos.* Madrid: Editorial Trotta, 1999.

BOELAARS, Henri, O. S. B., Hno. (ed.). *Scivias van Hildegardis van Bingen.* Katwijk aan Zee, Holanda: Servire, 1984. También: Hildegarda de BINGEN: *Scivias.* Col. «Classics of Western Spirituality», trad. por M. Columbia Hart y Jan Bishop. Mahwah, NJ: Paulist Press, 1990.

BOYD, Karla. *Mandala Heart Prints: A Coloring Book for All Ages.* Long Creek, SC: Mountain Rose Publ./Tri-State Press, 1979.

BOSSERT, Helmuth Th. *Folkart of Europe.* Tübingen, Alemania: Ernst Wasmuth Verlag, 1990.

______. *Folkart of Asia, Africa, Australia, the Americas.* Nueva York: Rizzoli, 1990.

BRAUEN, Martin. *The Mandala: Sacred Circle in Tibetan Buddhism.* Trad. por Martin Wilson, fotografías de Peter Nebel. Boston: Shambhala Publications, 1997.

BRIGGS, John. *Fractals: The Patterns of Chaos.* Nueva York: Simon & Schuster, 1992.

CAHILL, Sedonia, y Joshua HALPERN. *The Ceremonial Circle: Practice, Ritual and Renewal for Personal and Community Healing.* Nueva York: HarperCollins, 1992.

CAMPANELLI, Dan, y Pauline CAMPANELLI. *Circles, Groves and Sanctuaries: Sacred Spaces of Today's Pagans.* St. Paul, MN: Llewellyn Publications, 1992.

CAMPBELL, Mary. *Open Mandala Journey: A Journey into the Personal Unknown.* Ilust. con 52 mandalas, 37 a todo color. Boston: Charles E. Tuttle Co., 1979.

CONGDON-MARTIN, Douglas. *The Navajo Art of Sandpainting.* West Chester, PA: Schiffer Publishing, 1990.

COOPER, J. C. *Diccionario de símbolos.* Barcelona: Editorial Gustavo Gili, 2004.

COPONY, Heita. *El misterio de los mandalas.* Málaga: Editorial Sirio, 2003.

CORNELL, Judith. *Drawing the Light from Within: Keys to Awaken Your Creative Power.* Nueva York: Prentice Hall Press, 1990; San Francisco, CA: Chronicle Books, 1979.

_____. *Mandalas: Luminous Symbols for Healing.* Wheaton, IL: Quest Books, 1994.

COWEN, Painton. *Rose Windows.* Londres: Thames and Hudson, 1979.

CRITCHLOW, Keith. *Islamic Patterns: An Analytical Cosmological Approach.* Londres: Thames and Hudson, 1976, 1982.

DAMEN, Toos. *Oorsprong en vervulling. Astrologische symboliek in mandala's* [Origen y realización: Simbolismo astrológico en los mandalas]. Nijmegen, Holanda: Demeter, 1987.

DOCZI, György. *The Power of Limits: Proportional Harmonies in Nature, Art and Architecture.* Boston y Londres: Shambhala, 1985.

DAHLKE, Rüdiger. *Mandalas: cómo encontrar lo divino en ti.* Teià: Ediciones Robinbook, 1997.

_____. *Mandalas 2: manual para la terapia con mandalas.* Teià: Ediciones Robinbook, 2001.

_____. *El poder de los mandalas.* Barcelona: RBA coleccionables, 2003.

DOUGLAS, Nik. *Tibetan Tantric Charms and Amulets: 230 Examples.* Reproducidos a partir de los bloques de madera originales. Nueva York: Dover, 1978.

DREESMAN, Cecile. *Merklappen, oud en niew* [Dechados, antiguos y nuevos]. Wageningen, Holanda: Zomer & Keuning, 1967.

DÜRER, Albrecht. *De la medida.* Tres Cantos: Akal, 2000. También, facsímil del original en alemán publicado en Nordlingen, Alemania, por Verlag Dr. Alfons Uhl, 1983.

DUTCH MANDALA ASSOCIATION. *Mandala's borduren, niet om het resultaat maar om het doen* [«Bordar mandalas, no por el resultado, sino por el hecho de hacerlo»]. Folleto. Nieuwaal, Holanda: Boltboek.

_____. *Mandala,* publ. trimestral, junio 1990 - junio 1993. Breda, Holanda: Dutch Mandala Association. (Véase dirección al final.)

FINCHER, Susanne F. *Creating Mandalas for Insight, Healing and Self-Expression.* Boston y Londres: Shambhala, 1991.

_____. *Coloring Mandalas for Insight, Healing and Self-Expression*. Nueva York: Random House, 2000.

FRISCHKNECHT, Johannes. *Mandalas*. Trad. alemán-inglés por Nicole Büser. Oberegg, Alemania: Noah-Verlag, 1992.

GABRIELLI, Alexandra. «Je zou mijn werk holistisch cuneen noemen» [Mi trabajo se podría llamar holístico]. Art. sobre el pintor holandés Pieter Torensma en Onkruid, núm. 19 (marzo-abril 1981). Avenhorn, Holanda: Stichting Onkruid.

GERHARD, Daniel, y LAKSHMANAN. *Kolam*. Auroville, KY: Harmony, 1976.

GERSPACH, M. *Coptic Textile Designs*. Nueva York: Dover, 1975.

GOETHE, Johann Wolfgang von. *Teoría de los colores*. Murcia, Colegio Oficial de Aparejadores y Arquitectos Técnicos de Murcia, 1999.

GONZÁLEZ-WIPPLER, Migene. *La magia de las piedras y los cristales: cómo usarla para mejorar tu vida*. Móstoles: Ediciones Neo-Person, 2002.

GUNTHER, Bernard. *Energy Ecstacy and Your Seven Vital Chakras*. Los Angeles: Newcastle Publishing, 1978, 1983.

HALL, Manly P. *Meditation Symbols in Eastern and Western Mysticism: Mysteries of the Mandala*. Los Angeles: Philosophical Research Society, 1988.

HARESMA, O. H. *Geschiedenis van het landschap. Hoe het Drentse landschap werd gebruikt, van de toendratijd tot in de 20e eeuw* [Historia del paisaje: Cómo se utilizó el paisaje de la provincia de Drenthe, desde la Edad del Hielo hasta el siglo XX]. Assen, Holanda: Drents Museum, 1992.

HULKE, Waltraud-Maria. *Kleurenheelkunde. Praktisch werken met kleuren en hun invloed op lichaam, ziel en geest* [Sanación por el color: Trabajo práctico con los colores y su influencia en el cuerpo, el alma y la mente]. Amsterdam: Schors, 1993.

HUYSER, Anneke. *Singing Bowl Exercises for Personal Harmony*. Havelte, Holanda: Binkey Kok Publications, 1999.

JAFFÉ, Aniela, *De la vida y la obra de C. G. Jung*. Villaviciosa Odón: Editorial Mirach, 1992.

JAVANE, Faith, y Dusty BUNKER. *La clave secreta de los números*. Madrid: Ediciones Martínez Roca, 1984.

JOHARI, Harish. *Tools for Tantra*. Rochester, VT: Destiny Books, 1986.

JONES, Prudence, y Caitlin MATTHEWS. *Voices from the Circle: The Heritage of Western Paganism*. Londres: Aquarian Press, 1990.

JUNG, Carl Gustav. «Sueños e individuación», en Obra Completa. Madrid: Editorial Trota, 1999.

_____. *El hombre y sus símbolos*. Barcelona: Caralt Editores, 2002.

_____. *Mandala Symbolism (Jung Extracts Series)*. Trad. por R. F. C. Hull, ed. Gerhard Adler. Princeton: Princeton University Press, 1972.

_____. *Recuerdos, sueños y pensamientos*. Barcelona: Seix Barral, 1996.

KANDINSKY, Wassily. *De lo espiritual en el arte*. Barcelona: Ediciones Paidós Ibérica, 1998.

KARMAY, Samten. *Secret Visions of the Fifth Dalai Lama*. Londres: Serundia Publications, 1988. El manuscrito de oro de la colección Fornier.

KEYES, Margaret Frings. *The Inward Journey: Art as Psychotherapy for You*. Millbrae, CA: Celestial Arts, 1974.

LAARHOVEN, Jan van. *De beeldtaal van de christelijke kunst. Geschiedenis van de iconografie* [El lenguaje de las imágenes en el arte cristiano: La historia de la iconografía]. Nijmegen, Holanda: SUN, 1992.

LANGEDIJK, Pieter, y Agnes van ENKHUIZEN. *Rechter en linker hersenhelft* [Los hemisferios derecho e izquierdo del cerebro]. Deventer, Holanda: Ankh-Hermes, 1987.

LAUF, Detlef-Ingo. *Das Bild als Symbol im Tantrismus* [La imagen como símbolo en el tantrismo]. Munich, Alemania: Moos Verlag, 1973.

_____. *Tibetan Saccred Art: The Heritage of Tantra*. Orchid Press, 1995.

LAWLOR, Robert. *Geometría sagrada*. Madrid: Ediciones del Prado, 1996.

LEEUWEN, Theo van. *Psychologie en symboliek van de Chakra's* [Psicología y simbolismo de los chakras]. Amsterdam: Bres, 1992.

LEHNER, Ernst. *Symbols, Signs and Signets: A Pictoral Treasury with over 1,350 Illustrations*. Nueva York: Doven, 1950.

LOGGHE, Koenraad. *Tussen hamer en staff. Voorkristelijke symboliek in de Nederlanden en elders in Europa* [Entre Hammer y Staff: simbolismo precristiano en los Países Bajos y en otras partes de Europa]. Turnhout: Brepols/Gooi en Sticht, 1992.

MANDALI, Monique. *Everyone's Mandala Coloring Book*. Billings, MT: Mandali Publishing, 1987.

McLean, Adam. *The Alchemical Mandala: A Survey of the Mandala in the Western Esoteric Traditions* (Hermetic Research Series No. 3). Grand Rapids, MI: Phanes Press, 1989.

Mees-Christeller, Eva. *Kunstzinnige therapieën in de praktijk* [Terapias artísticas en práctica]. Driebergen, Holanda: Zevenster, 1987.

Paine, Sheila. *Embroidered Textiles: Traditional Patterns from Five Continents.* Londres: Thames and Hudson, 1984.

Pal, Pratapaditya. *Tibetan Paintings: A Study of Tibetan Thankas, Eleventh to Nineteenth Century.* Londres: Ravi Kumar/Sotheby Publications, 1984.

Peesch, Reinhard. *The Ornament in European Folkart.* Leipzig, Alemania: Edition Leipzig, 1982.

Purce, Jill. *The Mystical Spiral: Journey of the Soul.* Londres: Thames and Hudson, 1974.

Ramacharandra Rao, S. K. *Yantras.* Delhi: Sri Satguru Publications, 1988.

Reichard, Gladys A. *Navajo Medicine Man Sandpaintings.* Nueva York: Dover, 1977.

Sides, Dorothy Smith. *Decorative Art of the Southwestern Indians.* Nueva York: Dover, 1961.

Staniland, Kay. *Bordadores.* Tres Cantos: Ediciones Akal, 1999.

Steehower, Hein. *Zeven Meta-realisten. Symboliek bij Nederlandse hedendaagse shilders* [Siete metarealistas: simbolismo y pintores contemporáneos]. Deventer, Holanda: Ankh-Hermes, 1974.

Steiner, Rudolf. *Colour: Twelve Lectures by Rudolf Steiner.* Trad. por Sabine Seiler. Hudson, NY: Anthroposophic Press, 1992; Reino Unido: Rudolf Steiner Press, 1998.

Storm, Hyemeyohsts. *Seven Arrows.* Nueva York: Ballantine Books, 1972.

Streit, Jakob. *Sun and Cross: The Development form Megalithic Culture to Early Christianity in Ireland.* Chester Springs, PA: Dufour éditions, 1993.

Sustom, Peter, ed. *Dreamings: The Art of Aboriginal Australia.* Nueva York: The Asia Society Galleries and George Braziller, 1988.

Tarthang, Tulku. *Mandala Gardens.* Oakland, CA: Dharma Publishing, 1991.

Trungpa, Chögyam. *Orderly Chaos: The Mandala Principle.* Boston y Londres: Shambhala, 1991.

TUCCI, Giuseppe. *The Theory and Practice of the Mandala with Special Reference to the Modern Psychology of the Subconscious.* York Beach, ME: Samuel Weiser, 1969.

VILLASEÑOR, David. *Tapestries in Sand: The Spirit of Indian Sandpaintings.* Harry Camp, CA: Naturegraph Publishers, 1963.

WALKER, Barbara G. *The Woman's Dictionary of Symbols and Sacred Objects.* Nueva York: HarperCollins, 1988.

WASSERMAN, James. *Art and Symbols of the Occult: Images of Power and Wisdom.* Rochester, VT: Destiny Books, 1993.

WELLS, David. *El curioso mundo de las matemáticas.* Barcelona: Editorial Gedisa, 2000.

WILHELM, Richard. *El secreto de la flor de oro: un libro de la vida chino.* Barcelona: Ediciones Paidós Ibérica, 1996.

WILSON, John. *Mosaic and Tesselated Patterns.* Nueva York: Dover, 1983.

WOOD, Les. *Mazes and Mandalas.* Englewood Cliffs, NJ: Prentice Hall, 1981.

YAMASAKI, Taiko. *Shingon: Japanese Esoteric Buddhism.* Boston y Londres: Shambhala, 1988.

ZDENEK, Marilee. *The Right-Brain Experience: An Intimate Program to Free the Powers of Your Imagination.* Nueva York: McGraw-Hill Book Co., 1983, 1985. Reed. a cargo de Two Roads Publishers, 1996.

_____. *Inventing the Future: Advances in Imagery That Can Change Your Life.* Nueva York: McGraw-Hill, 1987, 1988. Reed. a cargo de Two Roads Publishers, 1996.

Para contactar con la Dutch Mandala Association, escriba a:

DE NEDERLANDSE MANDALA VERENIGING
(Dutch Mandala Association)
p/a Ria Verburg - Zijllaan 14
3431 GK Nieuwegein NETHERLANDS

Libros sobre bordado

BROWN, Pauline. *Embroidery: A Complete Course in Embroidery Design and Technique.* Londres: Marshall Editions Ltd., 1986.

EATON, Jan. *The Complete Stitch Encyclopedia (Over 700 Unique, Full-Color, Step-by-Step Photographs).* Woodbury, NY: Barron's Educational Series, 1986; Londres, Quatro Publishing Ltd.

Música

Las personas que disfrutan oyendo música mientras hacen sus mandalas suelen tener sus propias preferencias por determinadas piezas clásicas o populares. También se pueden encontrar CD y cintas especiales de música relajante, calmante y de carácter meditativo y espiritual. A continuación ofrezco algunas sugerencias de música para ayudar a entrar en un estado de ánimo creativo.

Adagio, 2 vols. Comp. Hartmut Zeidler, Anna Turner y Stephen Hill. Celestials Harmonies, núms. 14.050 y 14.052, 1992. Se trata de una colección de dos partes (cada CD tiene 2 horas de duración) de música clásica que evoca una atmósfera armoniosa y relajada. Incluye obras de Albinoni, Bach, Dvorák, Grieg, Haydn, Mahler y Ravel.

CLANNAD. *Magical Ring.* RCA, 1983. La música intemporal y fascinadora del grupo Clannad te hace regresar a la vieja historia celta de la Irlanda mística (incluyendo New Grange), con composiciones tradicionales y contemporáneas.

HALPERN, Steven. *Spectrum Suite.* Inner Peace Music, 1975. Esta música, interpretada con piano eléctrico, aporta cuerpo, alma y mente a la armonía, porque sintoniza con las energías de los 7 chakras.

HORN, Paul. *Inside the Great Pyramid.* Kuckuck Records, 1995. Ya es una composición meditativa clásica de un pionero en la música New Age. Paul Horn toca la flauta en la cámara del faraón de la Gran Pirámide en Keops, que tiene una acústica fantástica.

INKARNATION. *Licht-Prakash-Light.* Sattva Art Music. Vocales, flauta, sitar, tambores, guitarra, bajo, teclados, sintetizador y piano. El grupo

Inkarnation, compuesto por Oliver Serano-Alve, Margot Vogl y Veit Wayman, nos trae una música incomparable para escuchar tranquilamente mientras uno está acostado. Sus 10 piezas resuenan desde lo más profundo de la tierra hasta las regiones cósmicas más elevadas y producen una síntesis entre las energías masculina y femenina.

KOBIALKA, Daniel. *Timeless Motion.* Lisem Records, 1991. El conocido y clásico canon Pachelbel en un arreglo personal realizado por el violinista Kobialka. Esta música serena tiene un profundo efecto relajante.

Magnum Mysterium, 2 vols. Colección de clásicos de música sacra seleccionados por Ellen Holmes. Celestial Harmonies, 1993. Cada CD tiene 2 horas de música litúrgica y coros religiosos de varios compositores clásicos, como Bach, Byrd, Fauré, De Lassus, Monteverdi, Palestrina y Vivaldi.

NAEGELE, David. *Temple in the Forest.* Valley of the Sun, 1982. Contiene sonidos de la naturaleza (pájaros, arroyos) y campanas, enmarcados por sonidos suaves de piano y sintetizador. Esta música es sumamente meditativa y relajante.

RAMPAL, Jean-Pierre, y Lily LASKIN. *Japanese Melodies for Flute and Harp.* Sony, 1990. Melodías tradicionales de música folclórica japonesa relajada que propician un estado de ánimo sereno.

ROWLAND, Mike. *The Fairy Ring Suite.* Narada, 1982; Oreade Music, 1997. Música de piano y sintetizador agradable al oído y con un efecto sumamente relajante debido a su simplicidad.

_____. *Silver Wings Suite.* Oreade Music, 1997. Similares a las melodías relajantes de *The Fairy Ring Suite* en sus características y efectos.

SCHROEDER-SHEKER, Thérèse. *Rosa Mystica.* Celestial Harmonies, 1987. Arpa, violonchelo, campanas, etc. Hermosas baladas instrumentales y vocales, canciones de cuna y otra música medieval con un carácter contemplativo, con la rosa como tema central.

SCOTT, Tony. *Music for Zen Meditation and Other Joys.* Polygram, 1964. Esta música, grabada en 1964, se ha convertido también en un clásico de la música meditativa. Tony Scott produce mágicamente sonidos con la flauta japonesa y el koto que suscitan una relajación profunda y evocan una atmósfera zen contemplativa.

WAKEMAN, Rick. *Aspirant Sunrise.* Sattva Art Music. Pure Sounds, 1996. Suave música de piano que posee un ritmo calmado y susurrante. Con complicadas composiciones, la fuerza de la música reside en la simplicidad que evoca. Ésta es la primera parte de una trilogía musical; las otras partes son: *Aspirant Sunset* y *Aspirant Sunshadows.*

Índice

Láminas a color